遊歩新夢

神様がくれた最後の7日間

実業之日本社

実業之日本社文庫

目次

プロローグ　僕は女神に恋をする　4
第一章　終わりの始まり　――神の世界はあと7日　6
第二章　神様はいた　――あと6日と22時間／12日経過　21
第三章　中の世界　――あと6日と17時間／14日経過　62
第四章　世界の時間　――あと6日と10時間／17日経過　97
第五章　幻覚の那由　――あと5日と18時間／25日経過　116
第六章　見えない世界　――あと5日と15時間／30日経過　141
第七章　巡る世界　――あと5日と10時間／35日経過　172
第八章　神様の世界　――あと1日と3時間／39日経過　259
第九章　世界は、那由と僕になる　――あと24時間／65日経過　292
エピローグ　そして僕らは神になる　――1年2か月経過　307
あとがき　316

プロローグ　僕は女神に恋をする

――僕はいつしか、女神さまに恋をしている――

神様なんていない。
そう思わざるを得ないほど、今の社会は窮屈で生きづらい。
でも、きっとこの世界を創った何者かはいる。
そう思っていた。
それは、超自然的な何かを超越した存在だと思っていた。

――また、か、いい言葉だね。次の機会がある。とても素敵――

神様には、時間がなかった。

――私の声が聞こえるんだ――

神様は孤独だった。

僕たちは絶望の中に希望を見つけ、希望を追いかけるために『時』を使った。

――この世界に会えてよかった。

私は、どんどん、生きている。いっぱい生きてるんだよ――

神様と生きる時間は、僕の人生を変えていった。

僕と神様だけが体験した世界。

それは、次の神話を紡ぎだす創世のおとぎ話だったのかもしれない。

そう、僕たちは『世界』を求めたんだ――

第一章　終わりの始まり　――神の世界はあと7日

無限に広がる大宇宙、なんてモノローグで始まるアニメがあった。

君はまだ若いんだから、これから無限の可能性があるよ、なんていうカウンセラーもいた。


そんなことはわかっている。

でも、僕に大事なのは『今』なんだ。

今が苦しいから、僕はそこから逃げ出したい。


中高時代は登校拒否もした、家出もした、いろんなことを試した。大学に進学するにあたっては、ひとり暮らしも勝ち取った。

でも、僕の、三枝翔《さえぐさしょう》という人間の居場所を確保できない。

誰もかれも、親でさえも、僕のやりたいことを理解しないし、バカにする。

『そんなことが何の役に立つんだ。もっと有益なことをやれ』

　何度もそう罵倒された。

　僕の興味の対象は、そんなにおかしなものなのだろうか。

＊

「空を飛べたら、気持ちいいんだろうな」

　僕は今、とある廃ビルの屋上にいる。

　世の中は大きな感染症の流行で経済への打撃も大きい。そんな中で倒産した会社のビルらしいが、管理も行き届いてなくて、誰でも入れる状態で放置されている。僕には好都合だった。

「飛べば、僕も仲間になれるかもしれない」

　空を見上げる。

　どこまでも澄み渡った青い空に、ぽつりぽつりと白い雲が浮かぶ。

　そこに弧を描く小さな影。ツバメだ。

　その軌跡を目で追っていく。彼らは自在に空を飛び回る。気持ちよさそうだ。

　僕はいつも空に憧れていた。自然、空を我が物顔で飛び回る鳥に惹《ひ》かれた。

高校時代は、双眼鏡片手に鳥を追っかけていた。星も見ていた。

それ以外にも、パソコンでVR空間を作ってみたり、都会の喧騒《けんそう》を離れてキャンプに行ったりもしていた。

でも、大学受験が近づくと、それらはすべて取り上げられた。

『そんなものは役に立たない』

両親の言うことはいつもこれだ。

僕は受験勉強のために監視され、管理された。だから、合格の見返りに一人暮らしをさせてくれ、といった。しぶしぶ、両親は認めた。

でも、つかの間の自由だった。

大学に行けば、必死で合格した僕なんかよりもはるかに高い能力を持った連中がごまんといた。僕が落ちこぼれになるのに、二週間もかからなかった。

そこから、大学にもいかなくなった。

僕は何をするでもなく、ただ無力感にさいなまれ、気が付けばここにいた。

十二階建てのビルの屋上。それほど高いとは思わないが、それでも飛べば僕はこの世界からいなくなれる。

次の世界がどうとか、考えない。

異世界転生とか大人気だけど、そういうのももういい。

僕はただ静かに、無の世界に行きたい。

何も感じなければ、苦痛もないだろう。

一応転落防止用の柵はあるけど、乗り越えるのは簡単だ。

「よいしょ」

僕はその柵に片足をかけ、グイ、と柵を引き寄せるように身体《からだ》をその上に持ち上げ、いとも簡単に乗り越えた。今、僕の背に柵があり、足一つ分くらいの足場に立っている。一歩踏み出せば、もうそこは空の世界だ。

「さすがに……」

ゴクリ、と生唾を飲み込む。

僕に翼はない。どこかに飛んで行きたいと願う気持ちだけがあって、その夢を叶《かな》えてくれる翼はないのだ。

誰も僕の翼になってくれなかった。そして、翼を折ることには一所懸命だった。

翼をなくした僕の魂は、もうここから落ちることしかできない。

「行く……か」

この一歩を踏み出せば、すべて楽になる。僕はそう信じていた。

しかし、なかなか踏み出せない。酒か薬でも飲んでくれればよかったかもしれない。

ここにきて、何を怖気《おじけ》づいてるのか、と自分を叱咤《しった》するが、その一歩はなかなか出ない。

「死ぬの？」

「え？」

逡巡《しゅんじゅん》していると、突然、声が聞こえた。むしろそれでバランスを崩すかと思ったくらいびっくりした。

その声は、鈴の音のようで、じっとりとした湿度の高い闇にとらわれた心の中を、一陣の清浄な風のように吹き抜けていった。

色に例えるなら、とても透明な、白い声だった。

「ねえ、死んじゃうの？　君の世界が終わっちゃうよ？」

思わず振り返ると、そこに白いワンピースを着た少女がいた。

肩が大きく出ているラフなワンピースだ。そのまま街を歩き回るには、少し刺激的に思えるほどの。肌は驚くほど白く、何より印象的なのは、髪の毛すら真っ白なことだった。白い少女が、そこにいた。

屋上にとりあえず放り込んだと思われるさまざまな廃材。積みあがったそれらの上に、少女は座っていた。興味深そうな瞳で僕を見つめている。

「ふふっ、私の声が聞こえるんだね。ちょうどよかった」

彼女は僕の言葉を待たずに廃材から降り、転落防止柵の手すりを挟んで僕の目の前に来た。その動きは、まるで体重がないかのように軽やかだった。

「どうせ死んじゃうなら、私の最後の七日間に付き合ってよ。それから決めたっていいじゃん？」

「七日？　なんで七日？」

「神様は最初の七日間で世界を作ったの。だからね、世界を終わらせる前に最後の七日間を過ごそうと思ってさ。ねえ、キミ、付き合ってよ」

何を言っているのか、この時はわからなかった。

ただ、僕は彼女の白い身体の後ろに、翼が見えた気がしたんだ。どこまでも飛んでいけそうな、翼を。

「君は一体……」

「私は……ふふ、神様だよ。この世界のすべてを作った、ね」

彼女は僕に手を差し伸べた。その手は、白くて小さくて、少し力を入れたら折れてしまいそうなほど華奢《きゃしゃ》だった。

僕がその手を取ると、彼女はひょい、と自分の方にひいた。気が付くと、僕は柵の内側へ戻っていた。

しまった。

「あ……」

そう思って、僕はもう一度空を振り返った。でも、一度柵を越えて戻ってしまった僕には、なんだかその空は色あせて見えた。

「ダメだ、この空じゃない……まったく……」

もう一度屋上の風景に視線を戻したとき、その『神様』はもういなかった。

彼女は、本当に神様だったんだろうか。ふと、そんな疑問と興味が脳裏を占拠した。

でも、それも一瞬のことで、空を飛び損ねた僕は、すごすご廃ビルの屋上を後にするしかなかった。

＊

神様ってやつは、たいていろくなことをしない。

信仰しろ、供え物をしろ、試練に耐えろ、などなど。そのくせ、願いはなかなか叶えてはくれない、というより多分絶対叶えてくれない。

むしろ悪魔の方がドライに契約で願いを叶えてくれる。それなら悪魔の方がいくらか良心的だ。

僕は常々そう思っていた。

だから、あの日、屋上で自称神様の手を取ったのは大間違いだった。

あの日以来、僕に空を飛ぶ機会は訪れない。なんとなく、気持ちが向かなくなったからだ。

だからと言って、この地上にへばりついていることに価値を感じているわけでもない。

結局、どっちつかずの中途半端で、うじうじと行動できなくなるループにハマってしまっている。いつものことだ。

あの日は珍しくやる気を出したのに、神様が邪魔をした。

やっぱり神様ってやつはろくなことをしない。それはもう確実だ。

ただ、そのこととは別の話として、僕にはずっと気になっていることがある。

「確かに、翼があったんだ」

幻覚かもしれない。そもそも神様っていうあの女の子自体が胡散臭《うさんくさ》い。

でも、あの真っ白な肌と真っ白な髪、真っ白なワンピース。あまりにも白い印象が、僕を虜《とりこ》にした。だから、きっと、翼もあったと思う。

それを確かめたくて、僕は気づけば街の雑踏の中にあの白い輝きを探すようになった。

あれほどの白だ。普通なら目立ってすぐ見つかりそうなものだ。でも、見つからない。

神様はいつも残酷で薄情だ。僕が今地上にいるべき理由になったくせに、あれから一度も僕の前に現れない。

やっぱり、あの翼で空を飛んでるのかもしれない。

「空か……」

僕は見上げる。

かつて憧れた空。どこまでも蒼《あお》く透き通った高い空に、そこを我が物顔に飛ぶ彼らに、僕は青春のすべてを懸けた時期もあった。

でも、もうその輝きがない。いや、僕がそれを感じることができなくなってしまったんだ。

今日の空は僕の心のようにどんよりと曇っている。こんな日は気分も滅入《めい》る。

でも、あの神様が白い光をまとってこの空を飛べば、きっとあっという間に雲は晴れる。そんな気にさせるほど、彼女は輝きを放っていた。

「また、飛んでみようかな」

死んでしまおう、という意味じゃない。

諦めてしまった夢、諦めてしまった希望。そんなものが僕にもあった。

僕自身に翼はない。でも、翼のない人類は、ある日空を飛ぶ力を手に入れた。それはまだ、ほんの百年ほどの歴史しかないのに、いまや空を超えて宇宙にまで行く。

「神様は、空の向こうにいるのかもしれない」

普通に考えれば、眉唾という言葉すら逃げ出すような突飛な思考だ。でも、僕には『常識』とか『当たり前』とか、そんなのはどうでもよかった。

一度飛んでしまおう、と覚悟できたことはよかったのかもしれない。結果として未遂に終わったけど、これで、いつでも飛べるんだ、という妙な自信が生まれた。それなら、地上でただもがくだけの自分でいる必要は、もうないはずなんだから。

僕の翼は折れた。でも、もう一度。もう一度その翼を手にしよう。

ここしばらく封印していた僕の城。そこには、僕の人生のすべてが眠っている。

今まで趣味に使った道具、僕だけの世界を作ることができるパソコン機材、読み漁《あさ》った本や資料、そんなのは一部屋に押し込んでここ数か月は扉を開けてもいなかった。

「また、開ける日が来るなんてな」

これは希望の扉か、それとも、やっぱり僕は翼折れて地面に叩《たた》きつけられることになるのか。

いいさ。一度は、飛んで落ちることを選んだんだ。それに、もしあの神様が翼で空を飛ぶなら、そういうのを見つけるのは、かつてはバードウォッチャーとして毎週のように野山に出ていた僕の十八番と言っていい。

「僕の世界の終わりを懸けるのにふさわしい獲物だな」

久しぶりに滾《たぎ》ってきた。長く忘れていたこの感覚に、僕は戸惑いを覚えながらも興奮を禁じえない。

「待ってろ神様。絶対見つけてやる」

僕は部屋に封印していた武器を手に取る。

そうだ、もう一度空へ戻るために。

＊

あれから僕は街を歩くようになった。

あの廃ビルは僕の家から徒歩十五分。そこに彼女がいた、ということは、この辺りがテリトリーではないか、と予想する。

もちろん、神様は野鳥じゃない。もしかすると、文字通りどこにでも神出鬼没なのかもしれない。

でも、手掛かりはあのビルに現れたということだけ。

ならば、その周辺から探索するのは王道だ。

　ここが普通の野山なら、僕は最高の武器である高性能で視野の明るい双眼鏡と、超望遠レンズを装備した一眼レフを持ち出しただろう。

　しかし、この都会でそんなものを抜き身で持って歩いていたら、のぞき魔か盗撮犯と思われかねない。そういうご時世になってしまった。

　なので、小さな目立たない双眼鏡と、望遠性能の高いコンパクトデジカメをポケットに忍ばせて、街を練り歩く。

　あの白い髪と白い肌は印象的だった。絶対に忘れないし、都会の雑踏の中でも目立つはずだ。もしこの辺りをメインに行動しているなら、すぐに見つかる。

　そう思ってから十日ほどたった。

「十日、か。僕にしてはずいぶん久しぶりに情熱を持って動いている」

　あの日、空へ飛ぼうとした日には、すべての情熱は冷え切っていて、心に灯《とも》る火の温《ぬく》もりなどなかった。

　そういう意味で、やはり神様は余計なことをしてくれたのだと思う。あれ以来、僕はこの地上にいることに意義を見出《みいだ》し始めてしまった。

　生き続けるということは、日常の生活にお金も手間もかかるし、なにより、そもそも断ち切ってしまいたかった様々なモノとの関係性も持続される、ということでもある。

面倒くさくはあるが、たった一つの衝動がそれを凌駕《りょうが》する熱を持っていた。

「何としても、もう一度見つけてやる」

この思いは、お目当ての野鳥を見つけられない時と同じ衝動だ。そして、そんなとき、僕は何日も野山にこもって、その鳥を追いかけることに苦はなかった。

おかげで、高校時代は出席日数に苦労した。ろくに学校に行かず野鳥ばかり追いかけて、教師や両親の心証はすこぶる悪かった。

生来、興味を持ったことには時間を忘れて没頭する性格なので、VR空間も作り始めると睡眠時間も忘れて作業し続けていたものだ。

それでも何とかやっていけたのは、幸い成績は悪くなかった、いや、トップクラスだったから、と言ってもいいだろう。大人を黙らせられるだけのものがあったからこそ、多少の好き勝手を許されていた。

でも、今は違う。

高校生と大学生では、社会との距離感が変わってしまった。大学を卒業すれば、そのあとは自分の力で生きていかなくてはならない。そのためのスキルを磨くことを、僕は両親に求められ、やりたくもない医学部への進学を強要された。

ここから、すべてがおかしくなったんだ。

医学は嫌いじゃない。素晴らしい学問だと思う。でも、自分が医者になるというイメージはなかった。

でも、これまで没頭してきたもののように、医学に没頭はできなかったし、受験勉強で奪われてしまったいろんな興味も、今では輝きを失ってしまっていたんだ。でも。

「ここにきて、神様ウォッチングをするとは思わなかったけどな」

ひとり呟《つぶや》きながら、都会の雑踏の中にあの白い姿を追いかけていた。

結果は全くでないまま十日が過ぎている。ここ最近の僕なら、もうあきらめて投げ出していたかもしれない。

よく続いているな、と自分でも思う。そう、いつしかあの白い姿を追い求めることに、理解しがたい情熱のようなものが芽生えていた。かつて、好きなものに没頭していたあの感覚が、少し感じられるようになっていた。

成果なく、十一日目の探索を終えた。さすがに少し疲れてはいるが、それでも、どうしても見つからない野鳥を追いかけているときのような、言葉にしがたい高揚した気持ちがあった。

「そういや、七日がどうとか言ってたな。もう十一日経《た》っちまった……」

最後の七日、とか言っていた。どういう意味なんだろうか。

そもそも、彼女はどうしてあそこにいたんだろう。僕が気付かなかっただけで、最初からいたのか、それとも、あとから来たのか。

もし、彼女が神様じゃなかったのなら、あんなところに来る理由なんて、僕と同じものしか考えつかない。

いやな考えが頭をよぎった。だが、それも一瞬で、僕は首を振ってそれを消し去った。

「僕が言えるようなことじゃないな。もしそうだとしても、僕に言う資格はない」

もう彼女に会えないのではないか、とその時は思った。

しかし、それも首を振って消す。

「野鳥だって思うように見つかるわけじゃないさ。まして、野生の神様だ。少しは面白みもあるってもんだろ」

僕は珍しく前向きだった。いや、昔はきっとこうだったんだ。

神様なんてやつは、ろくなことをしない。神様を語るやつも、神様をだしにするやつも、みんなろくでもない。知っている。知っているんだ。

それでも、僕は、この神様探しをやめる気にはならなかった。

第二章　神様はいた　――あと6日と22時間／12日経過

「十二日目も収穫なし、か」

今日の探索を終え、僕はふと、あの廃ビルに足を向けた。

野鳥探しの基本は、その鳥がいそうなところを探す。ねぐらやテリトリーがわかっているなら、その周辺を重点的に探す。

そういう意味では、ここは唯一彼女と会った場所だ。むしろ最初に探すべき場所だったが、なぜか足が向かなかった。

廃ビルの屋上から街を眺める。

「あの時と、景色が違うな」

双眼鏡を構えて、景色を流していく。

すると、ビルの窓の向こうに働いている人が見える。

街を行きかう人たち。通りを走る車。

双眼鏡という世界が切り取る景色は、日常とまた違った趣を見せてくれる。

僕はその世界が好きだった。この円形に切り取られた世界は、現実のモノでありながら、どこか手の届かない幻想のような雰囲気を持つ。

だから、こうやって景色を流していると、ふと、この中に彼女の姿が捉えられるのではないか、という錯覚に……

「え」

ひょこ、と、その視野の中に彼女の顔がのぞいた。間違いない。あの、輝くような白い髪は見間違えようがない。仮に顔の造形を覚えていなくても、彼女だ、と判別するのは容易だ。

一瞬だけその視野に現れた顔は、どこかいたずらっぽく見えて、その瞳は僕の方を見ていた気がした。

慌てて双眼鏡を目から外して、見ていた方向を凝視する。でも、そこには何もいない。

「気のせいか……」

あまりに彼女を追い求めることで幻覚でも見てしまったのだろうか。

「まあ、あまり健康な精神状態ではないしな……」

自分で言っていて情けなくはあるが、事実だから仕方がない。毎日彼女を追い求めて街を歩いてはいるが、やっていることといえばそれだけ。

大学の授業には一切出ていない。医学部は厳しい学部だ。これだけサボれば留年は確定的だろうし、そもそも卒業する気すらあまりない。

「帰るか」

双眼鏡をしまって、踵《きびす》を返した。

「やっ！」

「うわああ！」

振り返ったすぐ後ろに、自称、神はいた。

屈託のないほほえみは、まるで女神だ。どんよりと曇っていた僕の見る風景の中で、ひときわ輝きを発していた白い少女は、今まさに僕の目の前にいる。

探し求めていた対象が突然現れたことで、僕はちょっと放心状態で固まっていた。

そんな僕に、神様を名乗る少女は、つい、と歩を進めて距離を詰めてきた。

その神秘的な瞳で、僕の目をのぞき込みながら、ささやくように話しかけてきた。

「また来たんだね。でも、君の世界は前より少し輝いている。興味深いねえ」

あまり見たことのない、少し赤味を帯びた瞳に吸い込まれそうになりながら、ようやく言葉を発することができた。

「お、お、おまえ、いったい何者なんだよ！」

ようやく見つけた、という喜びよりも、突然心をかき乱された僕は、ついそう叫んでいた。

「神様だよ？　言わなかったっけ」

小首をかしげるしぐさすら白くまぶしい。だが、一方でその存在の胡散臭さも全開だ。彼女は、どうしてここにいるのか。何者なのか。僕に関わってくるのはなぜなのか。そんな疑問も光の速さで脳裏を通過していく。

「聞いたよ。でも、神様なんているわけないさ。いたら、俺みたいな人間は生まれない」

すると、自称神様はしげしげと僕の顔を眺めて、何やら一人でふんふんうなずいている。

「なるほどねえ。そういう考え方もあるかあ。いやあでもね、神様だって人間だからさ、色々間違えたり手が回らなかったりするんだよね。それに、君たちはランダムに勝手に成長する存在だからさ。そういった個体固有の運命行動には神様といえどおいそれと手が出せないんだよ。正確には全部面倒見切れない」

「言ってる意味が全く分からん」

「だよねえ」

やたらうれしそうな笑顔を見せてくる。ちょっと拍子抜けだ。

「ねえ、君、名前は？　私はね、那由《なゆ》」

「翔だ……三枝、翔……」

「ショウ君だね！　よろしく！」

「いや、まてよ！」

思わず流れで名乗ってしまったけど、よろしく、って何だ。

僕は彼女とどうにかなりたいわけじゃあない。ただ、見つけてみたかっただけだ。

「この前、言ったよね」

僕の言葉をさえぎって、彼女、那由は言う。

「あらためて、私の最後の七日間に付き合ってほしいな」

「最後の……？」

「そう。最後。この世界は、神々の審判を待ってるんだよ。それは、誰も知らない。その審判に、付き合ってよ」

曇りのない目で、那由は僕の瞳をのぞき込んでくる。

言ってることだけを考えれば、ちょっとおかしい。自分を神様と思い込んでいるおかしな子かもしれない。

でも、僕は彼女の瞳の奥に、抗《あらが》いきれない何かを感じてしまった。その輝きは眩《まぶ》しく、遠く、そして、『最後』と口にすれど、前しか見ていないように思えた。

「何を言ってるかわからないけど……」

僕はまだ決めかねていたし、面倒ごとなら関わらないでおこう、という気持ちがどこかにあった。

でも、那由はそんな僕の言葉を最後まで言わせてくれなかった。

「ん」

彼女は、朗らかな笑顔で白くて小さな手を差し出す。

僕は思わずその手を取ってしまった。そう、また、取ってしまったのだ。

そしてそれは、契約の握手だった。

＊

「ほほう。なかなかいいお住まいですこと」

「どうしてこうなった……」

気が付けば、彼女は僕の家に上がり込んでいる。いつどうやってこの状況になったのか、実は覚えていない。

「お前、なんでここにいるんだよ。俺、いつ家に案内したっけ」

「廃ビルの屋上で出会ってから、よろしくねの握手をして、そこから流れるようにここへ連れ込まれましたけど？」

「覚えてねえよ！　あと言い方が人聞き悪いぞ！」

そう、覚えていない。気が付くと僕はここにいて、彼女もここにいる。

なんだか気味が悪い。ただまあ、二週間ほど前、あの廃ビルの屋上に立った僕も、その後の記憶があいまいだ。人の精神状態としては、そういうことはあるのかもしれない。

しかし、それにしても、だ。

「まあほら、細かいことは気にしちゃいけないよ。神様だからね、私。ちょっと空間をいじって、ここに来ちゃったのかもしれないよ？」

「そんな馬鹿な話があるかよ」

口では否定して見せるが、少し自信がない。こんなに見事に記憶がすっぽり抜けることなんてあるんだろうか。廃ビルで彼女の手を取ったところまでは、あんなに鮮明に覚えているのに。

「ま、正直言うと、ちょっとバグっちゃったのかも。うん、キミ、イレギュラーみたいだから」

「は？」

「いや、なんでもないよ！　あははは！　それよりねえ、ショウ君、大学生だよね？　いい部屋、住んでない？」

はぐらかされたような気もするが、かといって、こちらも何を問うべきかというものもない。彼女は物珍しいものでも見るように、部屋のあちこちに視線を飛ばしている。

「親の金だよ。ある意味みっともない話さ」

親の希望通りの大学に入ってやることを条件に勝ち取った一人暮らしだ。特に頼んだわけではないが、親の見栄《みえ》なのだろう。都心では結構値の張るマンションを借りてくれた。正直一人で住むには広すぎて、空き部屋が二つほどあるくらいだ。

感謝はしない。これは、僕がやりたいことを捨てて手に入れたものなのだから。

「誰のおかげのモノであっても、良い環境には感謝しなきゃね。それが望んでも手に入らない時が来るかもしれないんだから」

「お説教かよ。そもそも、なんで俺についてくるんだよ」

僕は彼女を探していた。それは確かだ。そして見つけた。

野鳥なら、見つけて、それで終わりだ。せいぜいスケッチや写真を撮るなどして、まさか持ち帰るなんてことはルール違反だ。

「どしたの？」

彼女だってそうだろう。僕は、彼女を見つけたことでもう満足……したはずだ。

「あ、いや」

つい、見惚《みと》れてしまった。

白い。あまりにも彼女は白いのだ。

今日、近くでよく見ると、白いと思った髪は銀髪に近い。それが日光を反射すると、輝くような白に見えるんだ。

肌はやはり透き通るように白く、服装もあの日と同じだ。改めてみると、少し目のやり場に困るかもしれない。

顔立ちは日本人にも見えるし、西洋人にも見える。ハーフ、と言われたらしっくりくるかもしれない。吸い込まれるような赤い瞳も魅力的だ。

でも、この髪が地毛なら、日本人どころか東洋系にはあまりないと思う。どことなく、異国の匂いがしながらも、この国に馴染《なじ》んでいるような、なんとも言えない不思議な感覚だ。

「キミは、どこへ行きたいのかな。何をしたい？　私はね、この世界をたくさん見たいんだ。よかったら、案内してほしいな」

「はあ？」

突然何を言い出すのか。

「俺じゃないとだめなの？」

「うん。キミじゃないとだめ。なぜなら、キミは私の声が聞こえたし、それに、絶望確かに、あの日僕は絶望の淵にいた。そして、その淵から深淵《しんえん》へと身を投げようとしていたんだ。そして、彼女、那由に出会った。

あの日から、僕の絶望は少し遠のいた。彼女を探してみたい、という『欲』が出たからだ。

じゃあ、見つけてしまった今は？

僕は、やはり絶望の淵にいるのか？

自問自答してみる。

あの時ほどじゃない気もするし、でもだからといって、その先に何か希望を見出してるわけでもない。曖昧だ。

それに、そもそも那由はどうしてあそこにいたんだろう。今になって、ふとそんな疑問がわいてきた。

あんな廃ビルに用があるやつ。それは、もしかして僕のようなやつなんじゃないのか？

「いや、それは、まあ、でも……」

の淵《ふち》にいたから」

「……ええと、苗字《みょうじ》は？　名前しか聞いてないけど」

ほぼ初対面に近い女の子を、下の名前で呼べるほど僕は世慣れていない。世慣れていれば、あんな所に立ったりはしないんだ。

「苗字……か、えーっと、秘密、かな？」

「なんでだよ」

「その方が、ショウ君は仕方なく下の名前で呼べるじゃん。ほら、那由、でいーよ」

「くっ……」

僕にはこれ以上追及できない。向こうが一枚上手だ。そんなコミュニケーション能力があるなら、今まで何も苦労はしてきていない。

それなら、と僕は別のことを質問した。

「七日間、って何だったんだよ。もう二週間近くたってるだろ」

「あー、だいじょぶだいじょぶ。私の感覚だとまだショウ君に初めて会ってから二時間くらいしかたってないから」

「はあ？」

「ほら、あれだよ、神様の時間とこっちの時間は、流れが違うから！」

「その神様設定、まだやんのか？」

「設定、うーん、まあいっか。そう、まだやるの」

少し小首をかしげて一瞬眉を寄せたものの、次の瞬間には屈託のない笑顔で開き直ったかのように言う。

「そうかそうか。じゃあ、もう帰ってくれ。別に俺の方に用事はない」

「帰るって言ってもなあ……ああ、でもそっか、ここで眠るわけにもいかないか」

「当たり前だろうが！　家に帰れ！」

　いくつか知らないが、見たところだとまだ未成年に見える。家出なのか放浪なのか知らないが、下手に泊めるとこっちが危ない。

「冷たいなあ。まあいっか、おうちがわかったし、いつでも来れるね。神様の最後の七日の後どうなるか、君に懸けちゃおう！」

「勝手に懸けるな！　そもそも俺は忙しいんだ」

「へえ、何に？　この前飛ぼうとしてたのに」

「何だっていいだろ。そうだ、お前のせいで忙しくなってんだよ」

あの日以来、ふと、世界の見かたが変わった気がしていた。

それがなぜだか、自分でもよくわからない。

　中学生のころに熱中していたバードウォッチングの双眼鏡を持ち出してみたり、そして、そうだ、高校生の頃にどっぷりハマっていた、VR世界の構築。これもまたやりだしてしまった。理想の世界を創っていくことの快感と全能感は、再開してからまたハマりだしていた。

　おかげで授業に行く暇も気持ちも起こらない。もっとも、授業は今更出たところでほぼ全部留年確定レベルだから、行っても仕方ないというのもある。

それでも、無為に死だけを見つめて過ごしていた日々よりは、少しはましで、忙しい。

それはたぶん、全部この、那由のせいだ。

一瞬、『僕の世界』が入っているパソコンに目をやった。

「え？」

気が付くと、那由はいなかった。

「き、消えた？　あ、いや、そっと出ていったんだろ。まったく」

いつも突然。現れるのもいなくなるのも。

神様？　そんなはずはない。神様なんてものがいるなら、人はもっと幸せになっていなきゃおかしいんだから。

僕は、気を取り直して世界を開く。

今日も、ほんの少しだけ、僕の世界を作っていこうと。


【那由】

知らない天井で目覚めてみたい。

目を開くと、見慣れた天井がある。大き目の正方形で区切られた、冷たいセメントの、硬質な天井。

日は昇っているだろうに、窓から入る光はどこか薄暗い。

固いベッドに薄い掛け毛布。空調は完璧なはずなのに、なんとなく埃《ほこり》っぽい空気。

これが私の日常だった。それも、わずかに残された日常になるはずだ。

「あと、七日か、いや、六日と二十二時間、か」

壁にかかるカウントダウンを見る。私が作っておいたものだ。

本当にあと七日足らずで何かが変わるんだろうか。私にはまだ実感がない。

ただ、日々生きることに退屈しているし、何も変わらない毎日が続くくらいなら、何かが劇的に変わる日が来てもいいのかな、とも思う。たとえそれが破滅だったとしても、停滞よりはいい気がしていた。

どちらにせよ、私に何かができるわけではない。

「神様の最後の七日間、か」

そうは言ってみたものの、何をどうしたいかなんて、実のところ何もわからない。

何なら、神様が七日で世界を創った、なんていうのも、本からの受け売りだ。私が何かしたわけじゃないもの。

ただ、たまたまあの日あの時あの場所で、ショウ君を見つけた。

それは奇妙な感覚で、なんだか引き合ったような気がした。

なぜかはわからない。この世界で居場所のない私と、同じくあの世界で居場所を見つけられないショウ君、同じ絶望を背負った同士だったからかな。

なんだかほうっておけなくて、無駄だと思いながらもつい声をかけた。

そしたら、彼に声が届いちゃった。

そこで、何かが弾けた気がしたんだよ。

「空を飛べるはずの私が自分の世界の空を飛べずに、空を飛べないショウ君が、彼の空を飛ぼうとしていた」

外に出て、灰色の空を見上げながら、私はつぶやく。

私が見上げる空は、いつも灰色。飛べない空だ。

彼が飛ぼうとしていた空は、青く澄んでいた。

どうせ飛ぶなら、きれいな空がいい。

「何をしてるの、ナユ」

「空を見てるのよ、シギ」

仕事部屋へ向かう通路の窓から外を眺めて思いにふけっていると、シギが声をかけてきた。

シギは、私の仲間の女の子。友人、というほど親しくはないけど、他人でもない。

「空なんて、いつもと変わらないじゃない。何が面白いんだか」

「ねえ、シギ、知ってる？　空って、青いんだよ。きれいなんだ」

「……いつの時代の話をしてるんだか。それくらいは知ってるわ。この目で見たことはないけどね」

「だよね」

私は見た。青い空を。

でも、それは本物なのだろうか、といわれると、少し自信がない。

ただ、それは私が今この目で見ているもの、すべてそうなんだ。

これは、本物なのか。

私は最近、それをずっと自問自答している。答えなんて出るはずはないんだけど、それでも考えざるを得ない。

「ねえ、シギ、今見ているものは、本当に本物なのかな」

唐突に問われたシギは、目を丸くしている。表情の乏しいこの子には珍しい。

「そんなの、どうでもいいわ。本物であれ偽物であれ、起こっていることには対処が必要だし、やらなきゃ本物だとしても守れないじゃない」

「そりゃあ、まあ、そうだけどさ」

私は立ち上がる。

「守る意味、あるのかな」

私はシギに聞こえないくらいの小声でつぶやいた。

あと七日で終わる、というこの世界。そう定められた世界。

相変わらず埃っぽい空気。風が吹くと土が舞う。

空は灰色。太陽の光は雲を通してしか届かない。

それでもまだましだ、とシギは言う。もっと暗い地区だってある、と。

だったら、もっと青い場所もあるのかな。

そんなことを思いながら、私たちはここに縛られ続けている。

「そろそれアレが来るわ。仕事よ、ナユ」

「わかってる。わかってるよ」

アレはもう、長きにわたってこの地を荒廃させてきた。

いまさら何の感慨もないけれど、それでも、まだ、私たちには守るべきものがあった。


【翔】

一晩経ったが、那由はやはりいなかった。

昨日の彼女はいったい何だったのか。

「鍵は、閉まってたんだよな」

那由がこっそり帰ったのかと思った。でも、鍵は内側から施錠されている。つまり、誰もあの部屋から出ていない、ということになる。

「勝手に合い鍵を作ってるストーカー、なわけないだろうしなあ」

謎は深まるが、それにとらわれている場合でもなかった。

大学から呼び出しがあったからだ。このまま単位を落とすと、六年での卒業は難しくなるぞ、と。

ただ、僕にとってこの大学の卒業など特に意味は持たないし興味もない。親の手前、呼び出しに応じておくだけの話だ。

「悔しいけど、親の金がないと飢え死にさ。情けない話だ」

強がっていても、抵抗しようとしても、僕は無力で無才だ。バイトをすれば、少しは金も入ってくるだろうが、それでも親の仕送りには到底及ばないし、そもそも、バイトは親に禁止されていて、その代わり十分な仕送りを送る、ということになっている。

「でもまあ、これで六年卒業がお蔵入りになれば、何をやっているんだ、ということになりそうだな」

「なるほど、それで空を飛ぼうとしてたんだね」

「うわ！」

大学への道を急いでいたら、突然後ろから声がした。

「那由、さんか」

「さん、はいらないよ。様ならつけてもいい」

「何様だ」

「だから、神様だってば」

まだその設定は生きているらしい。まあ、それはそれでいいだろう。

「で、その那由神様は、俺に何の用なの？　昨日は突然いなくなるし」

「昨日、か。うんうん、よし。上手《うま》く設定できてるね」

「何の話だ」

「こっちの話だよ。それより」

那由は、すいっと距離を詰めてきて、僕に並んで歩き始めた。

「キミの世界はどんな感じ？」

少し背の低い那由は、僕を見上げる感じで尋ねてくる。

そんなキラキラした瞳で見つめないでほしい。僕には、そんな希望に満ちた光を宿した目はまぶしすぎる。

「俺の世界って？　御覧の通り、六年卒業も危うい感じで呼び出されて、大学に急いでるところだが？」

「ほうほう。大学ですか。興味深いので私もついていっていいかな？」

「いや、なんでだよ！　そもそも部外者は入れないから！」

大学といっても最近は物騒だ。入り口には守衛がいるし、学生証を見せないと入れない。あらかじめ手続きをしていればまだしも、いきなり入れてください、で入れる世の中では、もうないんだ。

「だいじょぶだいじょぶ。私はきっと入れるから、さ、行こ行こ」

「おいおいおい！」

那由は強引に僕を引っ張っていく。まあ、どうせ守衛に追い返されるのが関の山だ。とにかく、早く行かないと遅刻すればさらに印象が悪い。

ほどなく、大学の門が見えてくる。今日もしっかり守衛はいる。

「おはようございます」

「はい、おはよう」

久しぶりに学生証を出した。僕が入れるのは当たり前として、その後ろを同じように当然の顔をして那由がついてきた。

「おはようございまーす。ごくろうさまでーす」

おまけに派手に挨拶している。しかし、守衛は気に留める様子もない。

「え？」

なんでだ。守衛は何を見てたんだ！

完全にスルーだ。怪しむでもなく止めるでもない。大学のセキュリティはどこへ行ったんだ。

「ほら、大丈夫でしょ？　さ、行こ行こ。大学案内してよ」

「あのな、俺は教務課に呼び出されてるんだよ。最悪、即留年が決まっちまうんだ」

「じゃあ、そこは神様の加護で何とかしてあげる。まずは、その教務課とやらへ行きましょうか」

「だから、なんでお前も来るんだよ！」

「えー、面白いじゃん！」

「面白くねえ！」

と、そこで気づいた。周囲の視線に。

そりゃ、道端でこんな問答をしていれば変な目で見られても仕方がない。やむを得ず、俺は矛を収めた。那由はニコニコしながらついてくる。

せめてもの救いは、僕自身大学に親しい友人もいない、ということだ。冷やかされることも、見とがめられることもなく、教務課の窓口へ着いた。

「三枝です、あの、単位のことで」

「ああ、はいはい、そっちの部屋で待っててください」

指定された部屋へ向かうと、やはり那由もついてくる。

「ついてくるな」

「えへへへ」

何の躊躇《ちゅうちょ》もなく部屋に入ってくる那由を追い出そうとしていたら、そんな暇もなく教務官が入ってきた。仕方ないので、着席する。ちゃっかり隣に那由はいる。

「えーと、三枝翔君だね。ここしばらく授業に出てないようだが、このままだと留年が確定するけど、どうする気かな」

「はあ、その……」

「勉強します！　授業も出ますので！」

「お前は黙ってろ！」

勝手に発言する那由に、思わず声を荒げた。

「ん？　なんだって？」

すると、教務官が少し不機嫌そうな声でそう言った。

「あ、す、すみません。え、えっと、まあ、何とかこれから出席して取り返したいと思います」

「そうかね。まあ、医学部生、とはいえ、将来は医者になろうというものが無責任では困る。しっかり授業に出てくれねば、大学としてもやぶ医者を出すつもりはないからな」

「はあ……すいません」

「医者になるだけが人生じゃないよ、ショウ君！」

「マジで黙ってろよお前……」

さすがに今度は小声でたしなめる。教務官も何か言ってやれよこいつに。

「よし、じゃあ今日はこれだけです。明日からは授業に出るように」

「はい……」

返事はしてみるものの、正直あまり乗り気はしない。ただ、ここで留年確定でもしようものなら、多分親は烈火のごとく怒るだろう。仕送りも止められ、帰って来いと言われるかもしれない。

あそこに帰るのは嫌だ。だから、僕は飛ぼうとしたんじゃなかったか。

かといって、授業に出る気も起きない。圧倒的に自分が劣っているのを見せつけられるだけなんだから。

大学を出て、足取りも重く、でもどこに行くあてもなく足を向ける。

「ショウ君、お医者さんになりたくないのかな？」

「ないね。そもそも、親の見栄で望まれただけだ。俺はもっと他のものになりたかった」

「うんうん、何になりたかったの？　興味あるな」

「何に、か。そうだな、それこそなんでも思い通りになる神様ってやつは、いいんだろうな」

なぜかやはり僕に付きまとう那由に、ちょっと皮肉交じりに言ってやった。そして、僕がぎょっとした。

「……神様も、大変なんだよ」

なんでそんな顔をするんだ。いや、そもそも神様なんていない。いないはずだ。いたら、不幸な人なんて存在しないし、僕だってもっと幸せな人生を……

「どう、大変なんだよ。全知全能の神様って言うじゃないか。奇跡だって起こすんだろ？」

ぎょっとしはしたが、そもそも那由がなぜ僕に付きまとうかもわからないし、相変わらず崩さない神様設定とやらに、少し意地悪く絡んでみたくなった。

「奇跡、欲しいの？」

しかし、返ってきた答えは意外だった。

「あ、いや、そうだな、欲しいかな。ほら、宝くじでもドーンと当たればさ、何も悩まないで生きていける」

「宝くじ、かあ。まあ確率の問題だから、ちょっといじれば不可能じゃないけどさ」

「ま、夢だな。夢。そんなうまい話はないさ」

「うーん。自堕落になられても困るけど、可能性でもあるかな」

「何言ってんだ?」

「あ、いや、こっちのこと。それよりもさ、神様に奇跡をお願いするなら、なんらかの代償が必要だと思わない?」

「おいおい!」

那由が突然僕の腕に絡みついてきて、ぐいぐいと引っ張っていく。どこに行くつもりなのか。

「私、スイーツって食べてみたいんだ。この世界には甘味っていう甘い食べ物があって、それがすごくおいしいって書いてたんだ。ね、食べさせてよ。『甘い』を知りたいの」

「スイーツ? いやまあ、そんなもんでいいならって、おい!」

体よく神様のふりをして、スイーツをおごらせようっていうのか。なかなかの策士だ。けど、何か憎めない。なんとなく、笑いが込み上げてきた。

「ははっ、まあ、いいか。よし、那由神様にスイーツ食わせてやるよ。その代わり、宝くじよろしくだぜ？」

「ほう、良い心意気じゃな、お主」

調子に乗った那由も、まるで老獪《ろうかい》な神様のような口調でおどけてくる。

彼女が何者か、まだよくわからない。突然僕の前に現れて、なんだか知らないが付きまとってくる。ただ、なんとなく、僕は彼女がいることに心地よさを覚えてきているのを、この時初めて自覚したんだ。


さて、スイーツといっても何がいいのかわからない。そもそも、女子とスイーツなんて経験は今までないのだ。

「スイーツ、何か食いたいものあるのか？」

「うーん、そうだねえ……私もよく知らないんだけど、なんだっけ、甘いやつ？」

「広いな！」

最近のスイーツは必ずしも甘いものばかりとは言えないものの、やはり王道は甘さだろう。とはいえ、甘いだけでは広すぎるし、僕が思い浮かぶのはケーキとかアイスくらいしかない。

「なんでもいいよ。ショウ君が思う甘いもの、で」

「いいのか？　ケーキくらいしか思い浮かばんけど」

「じゃあそれで！」

いいらしい。

じゃあせめておいしいケーキ屋さんを、と検索してみる。何せ、全く知らない。

そして、検索してみると近隣だけでもたくさん出てくる。そりゃそうだ。大学の帰り道とはいえ、ここは都市の玄関口の繁華街。人通りも多いので店も多い。むしろ多すぎる。

「ええと、評価のよさそうな店は……」

「なんかいろいろたくさんあるねえ。すごい。私の故郷にはないもんねえ」

「故郷？　ケーキ屋もない田舎なのか？」

「うん、ないね。だから、食べたことないんだ」

「はあ？」

いくら田舎でも、ケーキ食ったことないやつっているか？

お年寄りで田舎から出たことない、って人でも、ケーキくらいは食ってるだろ。

どんだけの箱入りだか世間知らずだかのお嬢様なのか。

そして、それだけに、なんでここにいるのか、とかも気になったが、そもそも彼女と僕はそういったプライベートに踏み込めるような関係ではない。それに、スイーツ食わせたら満足して帰るかもしれない。

「んじゃ、一番近いとこ行ってみるか。空いてたらそこで」

「いいよ」

躊躇なく、那由は僕の腕に絡まってくる。やめてくれ、慣れてないんだ。

とはいえ、振り払うこともできず、僕らは雑踏を歩く。

どう見られているんだろう、とは、考えないようにしていた。

「ほおおお！　これがスイーツ！　本物は初めて見るねえ！」

那由はショウウインドウにべったり顔をつける勢いで覗《のぞ》き込んで興奮している。

「それはサンプルだ、食えねえから！」

「え、そうなの！」

田舎者というか、天然無知はここまですごいのか、とむしろこちらが感心してしまう。確かに最近の食品サンプルはリアルだけど、ショーケースに生ものが飾ってるはずはないだろうに、那由はまるでそれが本物と疑いもしない様子だった。

店内はそれほど混雑もしていなかったので、那由をウインドウからひっぺがして中に入る。席に着くと、またメニューを見て奇声を上げるので、ちょっと困る。

「静かにメニュー見ろ」

「あ、ごめんね。いやあ、なんかさ、こういうの、ほんと経験なくて」

「いや、俺もちょっと経験ないわ。ケーキのメニュー見てガチで興奮してるやつ」

「いやあ、世界は謎に満ちてるもんだねえ。あるところにはあるんだ、こういうの」

そういって那由は食い入るようにメニューを見つめている。こっちからすると、なんか奇妙な動物の生態を見せられているようで、なかなか興味深くはあるけど。

とはいえ、すでに五分以上メニューの前で格闘している。

確かにケーキの種類は多々あるけど、女子というのはそこまでスイーツへのこだわりがあるものだろうか。僕はイチゴショートのケーキセットでいいのに。

「うーん、全部食べたいけど、食べきれないなあ」

「一気に食おうとするな。また来ればいいだろ」

「また、か、いい言葉だね。次の機会がある。とても素敵」

普通に来る機会はあるだろう、と思って僕は言った。でも、那由が一瞬見せた表情に、ゾクリとした。

なんて表情をするんだ、こいつは……透明で美しい、でも、そこに存在するのはただ虚無だけ。そんな表情だ、と瞬時に感じてしまった。

僕は別に詩人じゃないし、文章を書くのが得意でもないし、何なら感情表現だって上手くない。

でも、自然とそんな言葉が脳裏に浮かぶような。まるで、雷に打たれたように、その言葉が出てきてしまった。

そんなことがあるんだろうか。

「ん？　なに？」

「あ、いや」

凝視しすぎていたか。那由がメニューから僕の方へ、怪訝《けげん》そうに視線を送る。でもそれはすぐにケーキのほうへと戻っていた。

「これにしよ。カラフルだし、楽しそう」

那由が選んだのは彩りも鮮やかなフルーツタルトだった。

「選べる、って楽しいね」

「たくさんの選択肢があればな」

そう、僕の選択肢はどんどん狭まっていった。だから、あのビルの上に立った。

選択肢が多いのであれば、他の道に成功を見出せたかもしれないのだ。

ただ、不思議なことに、あの屋上で那由に出会ってから、僕は別の選択肢を得ることで、生きている。その時の選択肢は、『那由を見つけてみよう』だった。

そして、見つけてしまったのでその選択肢は消えたはずなのに、そこにまた選択肢が生まれた。

『那由を見つけたのでもう終わり』

『那由を見つけたのでもう少し関わってみる』

この二つだ。

人生は選択肢の連続だ。それはまるでアドベンチャーゲームのように、目の前に時々現れる。

そして僕は、後者を選んでここにいる。選択肢が正解か否かは、進んでみないとわからない。

ひとまず、あの屋上で現れた選択肢の結果は間違っていなかったようだ。

那由が現れたとき、彼女を意に介することなく飛び降りることだってできた。それはゲームオーバーの選択肢とわかっていても、そうすることはできた。

そうしなかった僕は、今ここで那由とケーキを食べている。

そう思うと、少し不思議な気持ちにもなってくる。選択肢とは何か。目の前に現れる複数のそれを選ぶとき、世界は少しずつ変化していくのかもしれない。

それは、どのように決められ、どんな時に現れるのだろう。

僕は、自分が昔作っていた『世界』のことを考えていた。

選択肢はパラメーターなのだろうか。それとも行動によって現れるのだろうか。

ゲームバランスが崩れないように、それぞれのキャラクターに選択肢を持たせるのだろうか。

だとすれば、ゲームマスターは誰で、何を思ってそれをするのだろうか。

「こ、これがケーキ！　すごい！　きれい！　おいしそう！」

そんな悲鳴のような驚嘆の叫びで、僕は世界に引き戻された。目の前にはフルーツタルトを前にした狂人がいる。

そしてなぜか、ケーキは僕の前に二つ置かれている。フルーツタルトを那由の前に置いてやった。

「ねえねえショウ君！　これ、ほんとに食べられるの⁉　食べたらやっぱり合成栄養食の味がするとか、実はリアルなホログラフィでした、とか、ない？」

「食えよ、早く。そしたらわかるから」

いちいち反応がおかしい。

でも、僕にとってそれは奇異でありはするけど、不快ではない。むしろ新鮮とさえいえる。

那由はフォークを持ったまま固まっている。まるで、この世の命運を決める一瞬のような真剣な表情で、口を真一文字に結んで、フルーツタルトをにらんでいた。

意を決したようにタルトにフォークを突き立て、そのひと切れを口に運んでいく。

「んん！」

口に含んだとたんに奇声を発する。やはり面白い生き物だ。

「おいしい！　こんなにおいしいものがここにあるなんて！　これが甘さ……！　なるほどこれは禁忌だわ！」

「禁忌？」

「あ、いや、こっちの話だよ！　いや、でも、ほんとに美味しいね。これは何個でもいけるわー」

「そりゃよかったな」

女の子というのは、こんなにも幸せそうにスイーツを食うものなのだろうか。

比較対象を知らないので何とも言えないけど、見ているこっちまで癒されてしまう。

「ねえ、それ、どんな味なの？　ほら、私の少しあげるから、そっちのも少しちょうだい！」

「交換トレードか、まあ、よかろう」

少し大きめの塊を那由の皿においてやる。フルーツタルトも少しいただくが、まあ確かに美味しくはある。ただ、那由の感動の様子はちょっと異常ともいえた。

「んん！　これも美味しい！　甘い！　この世にこんな味があるなんて！」

「お前さ、ほんとにどんな生活してたんだよ？」

　まさかネグレクト家庭なのか？　それなら家出してきた、といっても理解はできるし、僕だって親とあまり良い関係ではない。

　しかし、どう見ても未成年なので、あまり深入りするのはためらわれる。自称神様とは言え。

「生活、ねえ。単調な生活だよ。特に何も面白くないし、何も変化がない。私の世界はもうすぐなくなるし、私もそのままなくなっちゃうはずだったんだけど」

　那由はスイーツをほおばりながら、意味のわからない話をし始める。

「知ってしまったんだよね。この世界を。そしたらさ、自分の中に何かが生まれちゃったんだ。今までにない私っていうの？　だから、最後の七日間をここで過ごそうかなって」

「何言ってるかさっぱりわかんねえ」

「だよね、でも、わかってもいいことないしねえ。あ、そういや宝くじ、買うんだよね？」

「買ったら当たるのか？」

「お布施もらったしね、神様としては、できるだけ善処するよ」

「善処って『出来たらやるけどあまり期待しないでね』って意味だろ？」

「あ、痛いところを突く。でもまあ、外れてなんぼ、でしょ、そういうの。人生だって宝くじみたいなものじゃん。当たるも八卦《はっけ》、当たらぬも八卦」

「八卦って……どこの神様だよ、お前」

「んー、宗派は特にないなあ」

すっとぼけた顔をしているが、最初に会った時に神様は七日で世界を作ったから、最後の七日間を過ごす、とか言ってたはずだが、世界を七日で作ったのは聖書の創世記の概念じゃなかったか？　最後の七日を過ごす話とかあったか？　まあよくは知らないんだけど。

「はあ、美味しかったあ。最後の七日間も捨てたものじゃないね」

「それだ、その七日間。もう最初に会ってから二週間は経ってるじゃねえか」

「神様とこの世界は進む時間の速さが違うって言ったじゃん。これでもいろいろ気を使っててね。うっかりしてると、キミの方がさっさと死んじゃうからさ」

「面白い設定だな」

「そう？　時間の概念なんて、あってないようなものだし。宇宙の始まりから時間が始まった、っていうけど、じゃあ、宇宙の始まりの前は何だったのかな。時間もなかったらしいけど、じゃあ、時間って突然始まったのかな。時間って何だと思う？」

いきなり小難しい話題を振られた。

いや、そういう話は嫌いではない。時々考えたりもする。

そして、改めて振られると、やはりちょっと考えてしまう。人づきあいが苦手だった分、ひとりで思考遊戯するのは好きだったから。

「なるほど。確かに時間って概念は歴史とともに変わっていってるよな。ニュートンとアインシュタインじゃ定義も変わるし、現代だと量子力学的な要素も入るし。そうなってくると、不可逆とされる時間すら逆に流れるとかいうよな」

「おっ、すごいじゃんショウ君。難しいこと知ってる」

「まあそりゃ、難関学部に現役合格してるんでな、一応」

どうせならそういった方面の学部に行きたかったのに、選択の余地がなかっただけだ。

「ま、それならさ、わかるでしょ？　人と神様の時間の流れの速さは違うって」

「オーケーオーケー。その設定でいいよ。で？　神様那由様はこれからどうしようってんだ？」

那由はひとしきりスイーツを食べてご満悦かと思ったら、またメニューとにらめっこしていた。

「ねえねえ、ドリンクもいい？」

「調子乗ってんな？」

「ドリンクが付くと、きっと当選確率が上がるよ？」

「わかった、お前神様じゃなくて詐欺師だろ」

「信ずるものは救われる、っていうよ？」

だからどこの宗派だってんだ。

「コーヒーは大人の味、って聞いたことあるんだけど」

「ブラックは苦いぞ。カフェオレにしとけ」

「カフェオレはおこちゃまが飲むものって聞いたことあるんだけど」

「おこちゃまだろお前」

ちなみに僕はいつもカフェオレなんだが、言った手前頼みにくい。

那由はまたたっぷりと悩んで、ミックスジュースを頼んだ。

「んんん！　これも甘い！　さっきと違う甘さだね！　美味しい！　世界にこんな素敵な飲み物があるなんて！　やはり体験すると違うね！」

いちいち大げさに驚くのだが、さりとて演技にも見えない。といって、もし本当にこの年までジュースを飲んだことがないとすれば、それはいったいどんな生い立ちなのか。

興味がわかない、といえば嘘《うそ》になる。

でも、女の子にいきなり生い立ちを聞けるような根性もないし、まだそんなに近い関係じゃない。

「どしたの？」

「あ、いや、なんでもない」

「変なの。いい？　人生には悩んでる時間なんてもったいないんだよ？　もし、あと七日しか時間がないってなったら、君はどうする？」

「七日……また出たな七日」

「そう。私はね、最後の七日間の途中なの。あと、六日と二十時間くらいかな。神様の時間でね」

「ほーそうか。その七日が終わったらどうなるんだ？」

「世界が、消えちゃう」

「え？」

冗談だろ、と笑ってもよかった。

しかし、那由の表情と口調は、それを許さなかった。

根拠はないけど、本物だけが見せる迫力のようなものがあった。

「マジ、なのか？」

思わずそう問い返してしまうほどには、僕は那由の言葉を真に受けてしまった。

「マジだったらどうする？　七日しかないんだよ。泣いても笑っても、七日で世界が終わるとしたら」

「何もできないけど、そうだな、旅にでも出るかな。全部捨てて」

「ん、正解に近いかな。私もそうする。いや、そうしてる、かな？」

ずっと絵空事のような設定で、それに合わせて話をしていた。もちろん、全部彼女の作りごとだと思っていた。

でも、この瞬間だけは違った。

那由は、本当のことを言っている。根拠のない確信が僕を支配する。

「旅か……」

本当に世界の期限が決まっていて、それを僕が知ることができたなら、すべての責任を捨て去り、あらゆるものを金に換えて最後の旅に出るだろう。

そう思うと、なんだか心が軽くなった気がした。

僕を縛るあらゆるものから解き放たれるのは、その最後の七日間なのかもしれない。

「いいな、最後の七日」

「いいかなあ？　それに神様の時間だからね。ショウ君にはまだ関係のない話だよ」

那由はそう言って笑うが、どことなくリアリティを感じてしまう。

仮に神様の時間が僕らの時間で言う悠久の時間であって、七日という区切りも、僕らの世界ではまだまだ先の時間の流れなのだとしても、今目の前にいる那由にとっては、やはり七日間なのではないのか、と思わせるリアリティ。

「旅に出る金があればなあ……貧乏学生はつらいぜ」

「あ、宝くじ、忘れないでね」

「本気で言ってんのか？ 当たるわけないだろ」

「むっ、神様だって言ってんじゃん。まあでも、あまり厳しい確率だとどうかなあ」

「十億は無理か？」

「六千五百万分の一だよ？ それよりはずっと確率上げる操作はできるけど、百パーセントはバランスが崩れちゃう。もうちょっと確率高いくじにしとくといいと思うよ」

「いや、まあそれでも充分だ。騙《だま》されても数百円だ。いいだろ、信じてやるよ。少しだけな」

「少しかあ。信心が足りないなあ」

この日は、散々たかられて、店を出た。

ただ、店を出るときの店員や周りの客の雰囲気が、少し変だったような。視線を感じたのは気のせいだろうか。

そして、ネットで宝くじを買ってる間に、那由はふっといなくなった。気配も声掛けもなく消える。この前もそうだった。

そんなとき、僕は、なんとなく空を見上げてしまった。

那由は、天上界へと帰還しているのではないか。
今日は、本気でそう感じてしまったのだ。
そして、僕の手元のスマホには、今買ったばかりの宝くじの番号だけが残っていた。

第三章　中の世界　――あと6日と17時間／14日経過

【那由】


またアレがやってくる。シギはそういっていた。

アレは周期的にやってくる。最初は誰にも感知されない程度の振動だったし、周期も間隔があった。でも、今は頻繁に、そして強いのが来る。

アレが来ると、あらゆるものが破壊されていく。

今は、この世界すら破壊する勢いで、毎日アレはやってくる。

私たちの建物は堅牢《けんろう》だけど、それでも内部破損は進んできた。そのうち、全部壊れちゃうかもだけど、どうせあと七日だしね。

「ナユ、どこへ行っていたの？」

「お散歩だよ、お散歩」

シギはクソ真面目だ。悪い子ではないけど、規律を重んじるし、自分の今の存在とやるべきことに疑いを持っていない。ある意味うらやましいな、とは思う。

だから、私が『禁忌』を犯しているなんて、バレたら面倒なことになる。

「シギは、アレをどうにかできると思ってるの？」

私は聞いてみた。彼女はいつも、凛《りん》として対応をしているし、あきらめることを知らない。

でも、この世界は七日で終わる。そう、計算されてしまった。それもずいぶん昔に。だから、あと七日って言ってるけど、それは昨日はあと八日だったし、そのずっと前には、あと十年とかだった。気づけばあと七日、ということに過ぎないんだけど。

「精一杯やる。それが私たちの務めでしょう。それがたとえ、実らなくても」

「そっか、シギは偉いね」

実らない行動。そう、私たちは生まれてこの方、そればっかりやってきた。

私たちが『管理者』になったときに、滅びは確定的だった。そのころに残されていた時間は、今とは比べ物にならないけど、それでも、終わりは決まっていたんだ。

管理者は決まった行動をすることだけを求められていたし、みんなそうしていた。私も。でも、日々を過ごしていれば学習もする。学習をしない管理者には問題が発生するので、そのこと自体をなくすことはできなかったらしい。

そしたら、気づく人が出てきたんだろうな。十三人いた私たちは、少しずつ減っていった。

どこに行ったのか。どこに行くところがあるのか。そんな話を残ったものでしたこともあったけど、答えは出なかった。

日々迫りくる審判の日。最初のころはまだ先の話だったし、余裕もあった。日常を楽しめる気持ちだってあった。

気が付けば、残っているのは私とシギだけ。

そして、私も気づいてしまったんだ。『中の世界』という禁忌があることを。

だから、私は禁忌を破った。見てはならない、といわれているデータを見た。

その瞬間、すべてが氷解したんだ。ああ、みんながどこへ行ったのかわかった、って。

そう、神様が、その創造物に触れること。それは、とてもとても甘美な禁忌だったんだ。


【翔】

あれから二日ほど、那由の姿を見ない。

といっても、一緒に住んでるわけでもないし、学校が一緒なわけでもない。そもそも、僕と那由には接点がなかった。

だから、僕が那由を探すというのは、手掛かりがない。

そして、いつも那由の方が僕を見つける。彼女は僕の家を知っているから、家に来れば僕を見つけることができるだろう。それなら、何も不思議はない。

でも、彼女は街の雑踏で僕を見つける。彼女を探している僕を見つけるのだ。

「や！　ショウ君、三時間ぶりくらいかな！」

「何言ってやがる。二日も姿見せなかったくせに」

「お、その口ぶりは、そろそろ私に会わないと寂しくなってきてるかな？」

「そ、そんなことは」

ない、とは続けられなかった。

僕は気になっている。彼女の存在と、その正体に。

神様設定はまあいいとして、一体どこに住んでいて、なぜ僕のもとに現れて、何なら、どうしてあのビルの上にいたのか、とか。

彼女には、僕のように飛びたいという理由があったのだろうか。もしあったのなら、それは何なんだろうか。

もっとも、僕自身もう翼のないまま飛ぶ、という気持ちはなくなっていた。

彼女のおかげで、空を飛ぶ鳥に憧れていたことを思い出したし、自分が作ろうとしていた『理想の世界』のことも思い出した。

だから、今の僕にはこの地上に足をつけて歩く理由があるのだ。

ただ、そのきっかけを作ってくれた彼女のことを、僕は知りたいと思い始めている。

「ねえ、宝くじ、いつだっけ」

「あ、えっと、今日の夕方だな」

忘れていた。

二日前、たった一枚の宝くじを買った。番号を適当に選んで、合致すれば当選するやつだ。

一等は億単位だが、二等になると急に金額が減る。まあ、当たるもんではないけど、スイーツをお布施したんだから買ってみろ、といわれたので、買っただけだ。負けても数百円の話だし。

「よし、じゃあ一緒に結果を待とうよ。それまで、スイーツでもどうだい？」

「またかよ。今日はおごらねえぞ」

「えー、それ困る。私この世界のお金持ってないし。まだ食べてないのがたくさんあるし、ひとりより二人がおいしいよ」

「神様なんだから、金くらい創造しろよ」

「私も宝くじ買っちゃうかあ」

いいのかそれで。

などと他愛ない会話をしているうちに、『まあ、ショウ君の宝くじ当てるから、おごってよ』と、やっぱりおごらされる話になっていた。

どうにも振り回される。ただ、悪い気はしなくなっていた。

「なあ、お前はほんとに何者なんだ？　今日は平日だろ。高校生は学校じゃないのか」

そう、彼女が僕の前に現れる日は、平日休日お構いなしだ。通常なら、おそらくは高校に通うくらいの年齢に見える。もし通っていないとすれば、それはそれで少数派の部類だし、その理由も気になる。

「学校なんて、ないんだよ。神様の世界には。だって、先生も生徒もいないもん」

「ふーん。じゃあ、どこでどうやって勉強するんだよ。お前、無学には見えない」

この前、時間の話をしていた。深く理論的な話をしたわけじゃないけど、あの話をできるだけでも、那由の学力や知能は人並み以上だとわかる。

それなりの学校にいる、あるいはいた、と僕は推測するのだが。

「知識はね、アーカイブにたくさん蓄えられてるの。私たちはそれに自由にアクセスできるし、効率よく取り込むことができる。でもね、中には禁忌といわれてるものもあって、そこには自由にアクセスできないんだ」

「禁忌？」

「そう。知ってはならない知識。そうだなあ、聖書で言えば禁断の果実みたいな」

「禁断の果実……エデンのリンゴだっけ」

何かで読んだ記憶がうっすらある。

「イチジクだったりもするけどね。まあ、果実は何だっていいんだけど、あれはね、『善悪の知識の実』っていうの。それを知ってしまうと、無垢《むく》ではなくなる」

「無垢、か。楽だろうな、無垢だと」

「そうだね、猜疑《さいぎ》や憎しみや羨望や嫉妬なんか生まれないし、だから絶望も生まれない。でもね、善悪を知ると、それは生まれてしまうの」

「で？　お前はその実を食べたのか？」

「あー……ショウ君、いい加減にそのお前ってのやめてほしいかな。私は那由。那由って呼んでくれないともうしゃべってあげないから」

「う」

女の子を下の名前で呼ぶ、というイベントは人生に存在しなかった。これからも存在しない予定だったのだが。

「ほら、ほら、呼ぶんだ」

「な、な、な」

「七草がゆ？」

　くすくすと笑いながら、那由はからかうような口調で言いつつ、僕をじっと見つめている。逃がしてはくれなさそうだ。

「な、ゆ……でいいのか？」

「うん！　いいよ！」

　那由は嬉《うれ》しそうなのでこれでいいのかもしれないが、僕はやはり慣れない。ただ、それでも、彼女との会話を失うのは嫌だったのだろう。僕は負けた。

「で、その、那由、は、その実を食ったのか？」

　もう一度質問を投げかける。すると、那由の表情がふと、遠い感じになった。僕は、それに引き込まれる。

「食べたね。ちょっとだけ」

　ふと視線をカフェの外に外して、那由は応えた。その横顔に、不覚にも神々しさを感じてしまったのは秘密だ。

「その、おいしかったのか？」

　言ってから、何を聞いてるんだ、と思ってしまった。

　詳しくは知らないけど、それは確か、アダムとイブが楽園を追い出されるきっかけになったもの。実際の味覚的な味はともかく、彼らの人生にとっては苦みしかなかったはずだ。

「わかんないな……でも、おかげで今こうしておいしいものを食べてるから、良かったのかもしれないし、うーん。知らないほうがいいことも人生にはあるんだなって気もするし」

「人生、ねえ。神様の一生も人生っていうんか？」

「あ、いや、まあこれは、そう、君に合わせてるだけだよ！　神様は優しいんだよ」

「神様は優しい、か」

那由の人となりだってまだ知らないけど、神様が優しいなら、人はもっと幸せに満ち足りて生きてるんじゃないだろうか。

若者の自殺率が上がっている、という報道があったな。そして、母数の人数も減っているので、実際の割合としては過去よりも高い、って。

生きづらいんだ。何もかも。

親は自分の価値観で子供に人生を押し付ける。表向きはキャリアを作ってよい人生を送らせたい、というけど、子供は親のおもちゃじゃないし、見栄やプライドを満足させるためのものでもない。

親の時代は『正社員なんて当たり前』という。今は、契約社員や派遣社員から『正社員登用あります』なんて普通だし、いよいよ正社員かって時期に派遣切りしてくるのも当たり前だ。

ならば手に職を、と医学部を進めてきたのも分からなくはないが、研修医制度のえげつなさを知っているのか、といいたい。

学校教師だって免許仕事だ。食いっぱぐれはないだろうけど、あれだって実際の業務と賃金は見合わない。

大型免許も同じで、ものすごい技術なのに賃金は仕事の割に合わない底辺といわれてしまう。

そんな大人たちの世界を見続けてきた僕らの世代が、未来に希望を持つ？　無理な話だ。

じゃあ、神様はどうなんだろう。僕ら人間の視点とは違う幸せとかがあるのだろうか。

神様にとって禁忌のモノとは何なのだろう。

「神様が知らないほうがよかったこと、って何なの？」

問うと、那由は視線をこっちへ戻した。

「君に会える方法、かな。知っちゃったから、私はここに来ることをやめられないんだ」

「え？」

「そして、ここにきてまた知っちゃった。スイーツは美味しい。きっとほかにももっと素晴らしいものがある、ここはきっとエデン。私たちが忘れてしまったエデンなんだよ」

エデン。楽園。

人類は失楽園からこちら、苦難を背負い続けているという。

僕はキリスト教信者ではないし、正確なことは知らないけど、だいたいそういうことなんだろうと思う。

それなら、最初にその実を食ったやつがみんな悪いんだ。

でも、そそのかしたのは悪魔だという。悪魔は契約を守るから神様よりましだ、なんて思ったりはしているが、だとすれば、このそそのかした悪魔は彼らと何を交わし、何を与えたんだろう。いや、先に禁断の実を与えて、悪魔は苦悩する人類を作り出すことで、自らの契約を優位に進めることができるようになったのだろうか。

所詮は思考遊戯だし、これらのことが史実としてあるわけでもないが、そう思うと悪魔はやはり合理的なのかもしれないな。

「那由は、後悔してるのか？　禁忌を知ったこと」

「うーん、まだわかんない。だから言ったじゃん、最後の七日間だって。これは審判の日々なんだ。でもね、神様だって完璧じゃない。ずっと前からわかっていたその日が、いよいよあと七日ってなって、慌ててるんだよ」

「七日か。確かに、あと一週間ですべてなくなるとか言われると慌てるな。でも、その日が五十年後ってわかってても、やっぱりそこまで気づかないものかもしれんな」

「知ってる？　この世のすべてを百日で覆いつくす小さな闇が一つあるとするじゃん？　その闇が世界全体を覆うために、毎日倍々ゲームで増えていく。明日は二つ、あさっては四つ。そして、世界の半分がその闇に閉ざされるのは何日目だと思う？」

「えーと……」

どこかで聞いたことのある話だったが、僕はもう一度よく考えてみた。

うっかりすると、百日で覆われるんだから、半分だと五十日目かな、とか思ってしまうが、確か……。

「九十九日目、だろ」

「正解。つまり、神様の世界もそんな感じでね。直前になるまで、知っているのに気づかなかったんだよ」

改めて考えてみてゾッとした。

まだ半分、まだ大丈夫、まだそんなにたいしたことない、と思っているうちに、破滅はすぐそばまで来ていることがあるんだ、と。そして、それが今那由がいる世界なた。

のだという。

かなり眉唾だけど、ふと、自分たちの世界を振り返ってみても、あまり笑えなかった。

核戦争の火種は山ほどあるし、今も世界で紛争は続いているし、経済は世界的に低迷しているし、水も食糧もエネルギーも足らなくなるって話をよく聞く。

でもみんな思っている。

『まだ大丈夫だ』と。

人生だって同じかもしれない。同じような法則で死が全体を覆うとすれば、半分が覆われるのは死の前日なんだ。

そうでなくても、人はいつか死ぬ。みんな知ってるけど気づかないふりをしている。だから、自ら死を選んだとしても、遅いか早いかだけだ。僕もそう思っていた。

生きにくさは生きる意味の喪失をもたらしやすい、というのは実感としてある。

でも今は、そうじゃない。那由という存在が気になるようになってしまったからだ。

そうなると、僕には生きる意味というか、モチベーションが湧いてきていた。

知らないうちに、死という闇が同じような法則で僕を半分染めていたら、僕の意志にかかわらず明日には死んでしまうのかもしれない。ただ、その日を僕が知らないだけでしかない。

それは、いやだなと思った。死のうとまで思った自分なのに、大きな自己矛盾がそこにあった。

那由の世界は、それを知ってなお、その日を待つしかできなかったのだろうか。

そう思うと、僕たちの世界も考えさせられてしまう。

そんな世界があるとして、そこに那由が暮らしているとして、那由が神様だとして、じゃあ、那由はどんな女の子なのだろう。

俄然《がぜん》興味が湧いてくるのは、むしろ当然と言えなくもなかった。

那由はかわいらしい。ふつうに、道行く男が何人も視線を送るくらいには目立つ。

話してみると、つかみどころはないが、性格は悪いとは思えない。

そして、謎が多く言動がいい意味でおかしい。

ともすると、ちょっと頭がおかしいのか、と思われるかもしれないが、会話の中にそういった異常性を感じないのだ。

彼女との会話の内容は、むしろ那由の神秘性を増す。

まだ三回目だというのに、僕は那由に心を奪われている。

恋愛感情か、といわれると、まだよくわからない。思春期の男女なら、そういった感情が主になるのは普通なのかもしれないが、僕はそもそも恋愛経験がないし、女の子にそんな興味を持つこともなかったのだから。

知らないことは判断できない。

ただ、最初に会ってから探していた時と、二回目に会ってから探していた時の気持ちは、多分違うだろう。

そして、今目の前にいる三回目の那由は、神秘的で魅力的に思えた。

「時間の概念ってさ、生物によっても違うじゃん。一週間で一生を終える子もいれば、野生の中で百年以上生きる子もいる。生物自体の遺伝子的な限界寿命があるとして、それぞれの生き物が感じる体感時間って、多分違うよね。神様と、人類も違うんだよ。だから、君の世界ではもう二週間以上たってるけど、私の世界ではほんの一時間とか二時間ほど。だから私にとってはこの前会ってから、三時間しかたってないってわけ」

「となると、那由の七日間は、俺にとってどれくらいなんだ」

「それもまあ、調整次第かな。同じ流れにしたら、あっという間に世界は消えてなくなっちゃうし、かといって余裕を持たせるとショウ君に会う時間があっという間に過ぎちゃう。だから、いろいろやってるんだよ」

「そうかい。まあそっちの都合はよくわからんけど、結局那由はいくつなんだよ」

「五十六憶七千万歳かな」

「それ、弥勒菩薩《みろくぼさつ》が救いに来るやつだろ」

「よく知ってるね」

屈託のない笑顔は、もはや僕の癒しになりつつある。最初は胡散臭いやつだと思ったけど、話してみると僕みたいな世慣れない人間でも話しやすいし、何より会話における知的言語が通じるというか、心地いい。

何か隠しているな、とは思うし、神様設定とかちょっと変だなとは思う。けれども、それ自体も那由の魅力につながっていると思えば、それはそれでいいかも、と感じ始めていた。

「ねえ、まだ当選発表まで時間あるよね。どこか楽しそうなとこ、案内してほしいな。私、こっちの世界のことよく知らないから」

「また神様設定か」

「設定じゃないんだけど、まあいいか。いや、設定かな？　ステージの違い？　階層の違い？　うーん」

「ま、何でもいいけど。行きたいところあるなら。さっき言ってたスイーツはいいのか？」

僕だって、いいスポットとかよく知ってるわけじゃない。那由が行きたいところがあるなら、調べて連れていくくらいはできるけど。

「そうだね、スイーツもいいけど、この前食べたから、やっぱり今日はきれいな空と海が見たいかな」

「空と海か……」

ここは町中だ。空はともかく海はない。

それに、どうせなら両方一緒に見渡せる方が気持ちいいのは間違いないが、そうなるとちょっとした遠出か旅行になる。

「きれいな海はちょっと遠いな」

「そっか」

「そこそこきれいな海なら、いけなくはないけどな」

「あ、じゃあ、それでもいいよ。すごくきれいなとこは、また」

少し寂しそうに微笑む那由。

また、か。

那由は言っていた。

『また、か、いい言葉だね。次の機会がある。とても素敵』

さっきの那由の話を聞いた後だと、彼女にはその『また』がもう来ないんじゃないかと思ってしまう。

それは時間がある人が言える言葉だ。那由の言葉を信じるなら、彼女には七日しか残されていない。

体感時間の話をしていたが、彼女のそれはどうなのだろうか。

こっちの時間で過ごせば、それは延びるのだろうか。

那由の素性、そして本当に残された時間。僕はそこにどんどん興味をひかれた。

願わくば、残された時間が基本的な寿命に沿うものでありますように……と、自分がつい二週間ほど前にやろうとしたことなど棚上げにして、祈る気持ちだった。

＊

「わあ、全然きれいじゃん！　私の世界にはない美しさだよ！」

電車で揺られること一時間ほど。神戸《こうべ》の海が一望できる場所に、僕たちはいた。

幸い天気も良くて、海もそれなりに青く見える。

「和歌山のあたりとは比較にならんけど、この辺では比較的いい景色だと思うよ」

神戸はもともと海運都市だ。多くの港があって、いまでもたくさんの外国貿易船の荷揚げがある。

入り組んだ港と青い海、ポートタウンの高層建築、摩耶山《まやさん》からの夜景は日本三大夜景に数えられるというくらいだから、夜に来てみたいとも思う。

那由は移動中少しうたた寝していた。けっこうぐっすりな感じだったので起こさなかったが、まだ会って三回の男の前では少々不用心ではないか、といらぬ心配をしたりもした。

「わー、船だ。おっきい船が沖に浮かんでるね！　そっかー、あれが船か！　初めて見た！」

最近の習慣で双眼鏡を持ってたので、それを貸してやると、那由は珍しそうにずっと沖合の船を覗いていた。

「船を初めてって……山の生まれ？」

「うーん、荒野の生まれかな」

「どこだよ荒野って。鳥取砂丘か？」

「うーん、説明はしづらいかな。まあ、この国じゃないよ。遠い遠い国」

世界は広い。それに、那由の白髪とも銀髪ともいえる見事な輝かしい髪の色は、異国の地の出身といわれると納得できるものがある。最近はこんな色に染める子もいるかもしれないが、ともすると異様なコスプレ感が出る。那由の場合はそういう違和感がないのだ。

那由のそんな話を聞くと、ああ、日本はまだ平和なんだ、と改めて自覚する。

知らない国の知らない場所で、戦争はいつも起こっているし、食べるものがない人たちも山ほどいて、政府といっても全く機能してない国すらある。

国家とは、人類とは、などという途方もないところまで思考遊戯が及びそうになるところで、肩をたたかれて我に返る。

「ねえ、あれは何？」

那由は港の方にたくさん生えているアーチ状の鉄骨組を指さしているようだ。

「ああ、コンテナ荷揚げ用のクレーンじゃないかな」

「クレーン？」

「クレーン知らないのかよ」

「知らない」

時間の論理を知ってるかと思えば、スイーツに疎かったりクレーンを知らない。

那由の知力は高いと思う。でも知識に随分偏りがあるのを、なんとなく感じていた。

異国の生まれ、というにしても、どんな生活を送ってきたのかより興味をそそられる。

「あそこは港だから、たくさん荷物が届くんだよ」

「ほえー。街並みもすごいよね。これ全部人が住んでるんだよね。あの高い塔もおうちなの？」

「高級高層マンションだな。まあ、俺達には縁のない世界だけど」

「ふーん。なんで？」

「べらぼうに高いんだよ。いくら金があっても足りねえよ」

「そっかあ、お金かあ。私の世界ではもはや無用のものだけど、物質があふれる世界では意味があるんだよね。歴史だなあ」

風に銀髪がなびいていて、少し遠い目をしていた。

この時初めて、那由の瞳の色をしっかり見た。

日本人なら黒の瞳、が一般的だろうけど、那由の瞳はやはり少し赤い。真っ赤ではないし、普段は全然わからないのだが、今は日の光を反射して輝いているせいか、その赤味が少し強調されているようだ。

瞳の赤さを確信すると、那由の印象は一変する。

真っ白な肌と白髪と見まごう銀髪に加えて、今までよりもますます神性が増したように思えて、ここまでの話と合わせると、うっかり信じ込んでしまいそうになる。

「まるで女神さまだな、那由」

「え、何、突然、ナンパ？」

「一緒に行動してんのにナンパはないだろ！」

「あ、そうだったね！」

けらけらと笑う。からかわれているのはわかるが、心地よくもあった。

「まあ、そうだね、女神さま、っていうのは間違ってないかも。だって、神様だもの。よかったね、天使じゃなくて。天使は無性っていうから」

「はいはい、那由女神様。で、次はどこに行くのかな？」

「しばらく、ここでいいよ。夕日、見てみたい」

「お、そうかい、夕焼けも確かにきれいだろうな。でも、まだ二時間くらいあるぞ」

「寝るからいいよ。あ、ショウ君は見張っててね。ほら、そこのベンチでいいから、膝貸して？」

「はあ？」

ひ、ひ、膝枕？

それはあまりにも恋人すぎるやつではないだろうか。僕にはちょっとレベルが高い
……と思っていたら、さっさと那由に引っ張っていかれて座らされる。

「はい。じゃあ、夕暮れになっても寝てたら起こしてね。起きないかもだけど、いたずらはしないように！」

そういうと、コテンと横になって、膝を枕に、あっという間に寝入ってしまった。

つまり、僕は夕日の時間までここを動けない、と。なんなんだいったい。

【那由】

「ん……」

何分経ったかな。

あまり待たせるとシギがうるさい。

あっちの世界はゆっくりできるとはいえ、ここの時間は分刻みで終末に向かってるんだもの。

だからといって、やることはそんなにない。

守るべきものを守るだけなんだけど、それすら、意味があるのかどうか私にはわからない。

だって、あと七日で終末がやってくるんだもん。

「ナユ、遅いわよ」

「ごめんごめん。ちょっと体調悪くてさ」

「そんなの、あと七日で気にならなくなるわ」

「はは……シギは、怖くないの？」

シギは昔から冷静沈着だし、感情の揺れなんか見せたことがない。私も、少し前ならそうだったかもしれない。禁忌を知るまでは。

「怖いなんて感情、もともと私たちにはないはずよ。決められたことをやって、訪れる未来に身をゆだねる。それだけじゃない」

管理者。

それが私たちの名前。いや、仕事？

生まれたときから、この地に縛られ、決められた役割をただこなすだけ。

それでいいと思っていた。

終末は、私が生まれたときから決まっていた。だから、それについて考えることはなかった。

でも、今は違う。

私は、それが怖い。

「それだけ、か。私たち、これで終わるんなら、一体何だったんだろうね」

「管理者よ。それ以上でもそれ以下でもないでしょ」

「シギはいいね、うらやましい」

あちこち壊れている建物の中を歩きながら、私たちは管理棟へ進む。

壊れてはいるものの、外界との隔絶はまだ保っている。ここは堅牢で、まだまだ大丈夫そうだ。終末は、この建物もすべて飲み込んでしまうんだろうか。そもそも、終末は、どのように起こり、どのような結末を迎えるのか。

実は私たちにもわからない。

でも、日々、確実にそれは迫っていて、大地の破壊が進んでいるのを実感する。

「ねえシギ、知ってる？　空と海は青いんだよ。とても綺麗《きれい》で、ずっと見ていたくなるの」

「知ってるわ。アーカイブで何度も見たことがあるもの。でもそんなの、この世界のどこに行ってもないのも知ってる」

「見てみたいとか、思わない？」

「思わない。さっさと持ち場に行きなさい。遊んでる暇はないはずよ」

「はあい」

シギはいつもこんな感じだ。

私は自分の仕事場に向かう。

仕事といっても、特に何をするでもない。むしろ遊んでる暇の方が多い。

ただ、『中』と呼ばれる球を監視するだけ。異常がないか、壊れていないか。

でも、それもあと七日。その後どうなるか、誰も知ることができない。

終末が来れば、多分私たちも消える。この施設がどうなるかはわからないけど、管理者がいなくなれば、いつかは潰えるだろう。

その球を見ながら、私は思う。

「私たちも、こんな球の中に住んでるのかもしれないな」

その想像は、恐ろしくもあり魅力的でもあり超越的でもあった。

神様。

この世界にもいるのかな。いてほしいな。だから、私は神様を名乗っているのかもしれない。

ショウ君にとって、私は神様になれているんだろうか。

「禁忌を犯したあの日から、私はあと七日が怖くなったんだよ、ショウ君」

管理室から見る球体は、けして小さくはないけれど、それでも、あの中に世界があるなんて、全然知らなかったんだ。

知った時から、私は、新しい時を生きるようになった。

そう、いなくなった人たちは、きっと、あの中に入ったんだ、と。そう思えるだけのものが、そこにあった。

私はまた、そこへ戻る。こっちの世界でほんの数時間かそこら。シギにばれないように慎重に。

禁忌を知ってはいけない。それは、きっと、この逃れられない中毒性があるからなんだろうね。でも、私の最後の七日間を、この禁忌はきっと有意義にしてくれる。

そうだよね、ショウ君。

どん、と揺れが来る。アレだ。

地震なのか、それともそうではないものなのか。

日に日に回数も増えて、揺れも大きくなっている気がする。この建物自体は大丈夫だけど、住居区画は結構やられ始めている。でも、外界との遮断が保持されているし、どうせあと七日だから、と修復することはないし、修復できる人も、もういない。

私は、ショウ君と歩いた街並みを思い出す。

あれは、ここにはないもの。

あの世界が、この球の中にあるのなら、この球を作った人たちはきっと神様と呼んでもいい存在なんだ。そして、私はその神様の末裔《まつえい》。世界の終末を見る宿命を背負った、最後の、神様。

ねえ神様、もし私たちの世界にもいるのなら、どうしてこの世界を滅ぼすの？

あなたにとってこの世界は、愛《いと》おしいものじゃなかったの？

私は、中の世界が、この球体が愛おしい。

ああ、考えている時間ももったいない。早く戻らないと、夕日が沈んでしまうね、ショウ君。

【翔】


そろそろ日が傾いてきた。オレンジに染まるにはまだ少しあるけど、そろそろ起こしたほうがいいな。

「那由、起きろ。そろそろ日が沈むぞ」

ここまでぐっすり。僕は全く動けない。足はしびれているが、まあ、女の子を膝枕させる経験などないので、それなりに楽しんでいた。道行く人にはかなり見られたような気がして、恥ずかしい思いはしたけど。

那由はピクリともせずに眠っていた。寝息を立てているので生きているのはわかるが、まさに『死んだように眠っている』という表現がぴったりに思える。

ちょっとやそっとでは起きなさそうで、正直ちょっと邪《よこし》まな思いは浮かんだけれども、そもそも僕は女子に軽々に触れることをよしと思っていないので、身体に触れてゆすってもいいものか、と迷っていると、那由が身じろぎした。

「ん……ふわああ、もうそろそろ？」

「お、おお、いいタイミングだ。起こそうと思ってたとこだよ」

「あ、良かった、間に合ったね」

体を起こして、うーんと伸びをしながらプルプル震えている。そして、日が落ちつつある海に視線を飛ばした。

展望台から西は右手にあたる。西日は、東側に位置する大阪の街をオレンジに染めている。

「きれいだなあ。うん、きれい。すごいね、この景色は」

「そうかい、そりゃよかった」

「何より、この目に入っている景色すべてに、人の息吹があるんだもの。それは、とても素晴らしいことだよ」

那由は展望台の端っこまで駆け寄って、身を乗り出して暮れなずむ海を見ていた。

沈み始めると、日の動きは速い。

秒単位で景色の色が沈んでいく。今日はいい天気だ。夕焼けから濃紺へのグラデーションが美しい。

「この景色、失いたくないよね」

「まあ、そりゃな。平和なのはいいことだ。那由の故郷は平和じゃないのか？」

この世界にはいろんな国がある。なんとなく異国の生まれと思える那由の祖国は、もしかすると騒乱のある国なのかもしれない。

テレビやネットの報道では見る。様々な国が国内紛争や、なんなら侵略と呼んでもいいような戦争で荒廃している。

日本は、そんな世界の中でも異様に平和で暮らしやすく、安全な国だ。

でも、一世紀足らずの昔は、この国だって世界を相手に戦争していて、毎日のように爆撃機が空襲をして、何なら世界で唯一人口密集地に核兵器を落とされた国でもある。

そんな時代が、大昔とも呼べない時代にあった。

だから、那由の国が何かしらの問題を抱えていたとしても、それほど不思議とは思わない。

今平和な日本だって、問題は山積みだし、国の周りは安穏としていてもいい状況じゃないらしい。でも、僕らの生活はとりあえず平和に流れている。

見えているものが変わると、感じ方も変わっていく。

ついこの前、世界を断とうとしていた僕と、今の僕はたぶん別人だ。

那由を知ったから。

この、ありふれた日常に、僕らが忘れていた感動を持っている人。

空が、海が、夕日がきれいだ、とはしゃぐ。

どこにでもあるようなスイーツを食べて、その味に大げさな反応をする。

でも、那由にとってそれはストレートな感情なのだろう。

僕の膝で無警戒に眠るのも、もしかすると、彼女の世界にはそんな空間がないからなのかもしれない。普通の女性なら、ちょっと警戒してもおかしくない。でも、それ以上の危険に比べれば、ここでは気を抜いてしまうのかもしれない。

ああ、那由のことを知りたい。

今の僕はそんな気持ちで満たされていた。

「はあ、いいもの見ちゃった。初めて見たよ。夕焼け」

「ええ？」

「夕焼けって、空が青くないと見えないものね。私の住んでるとこは、ずっと灰色。太陽はたまに見えるけど、いつもどんより」

「いつもって、そんなことはないだろ？　一年中悪天候なんて聞いたことないぜ」

「ふふ、天気のいい日でそれなんだよ。悪いときは、そうだね、外には出られないかな。もっとも、外に出るなんてことないんだけどね。だから、こうしてお外を歩いてるだけでも、私の気分は最高なんだよ」

「その状況は全く理解できないけど……」

生まれたときから平和で、平和自体のことも、そこにあるすべてのモノについての感謝も希薄になりがちだった自分だ。外にすら出られないなんて、意味がわからない。でも、わからないから知りたい。

「那由のその気持ちは尊重したいし、俺も知りたいと思う」

ちょっと恥ずかしいセリフかな、と口に出してから思った。那由はしばらく何も言わないので、ちょっと引かれたかな、と思った。でも。

「……ありがと」

小さく微笑みながら、でも、それはきっと本当の気持ちだ、とわかる口調で一言つぶやいた。

「さ、帰らなきゃ。ありがとショウ君。今日はここでいいから！」

「あ、おい！」

那由はそういいおいて、さっと駆け出してしまった。追いかける間もなく、すぐに死角に入って姿が見えなくなる。

慌てて彼女の後を追うが、その時にはもう見失ってしまった。

「またかよ……」

彼女はいつも突然だ。現れるときも消えるときも。

不可解だ。

僕は、いよいよ那由の不思議を解き明かしたいという衝動にとらわれ始めていた。

神様？

いや、そんなはずはない。彼女は現実に存在する人間だ。

膝に乗せた頭の重さと温かさを思い出しながら、僕は今ごろ、ドギマギする気持ちを抑えることができなくなってきていた。

＊

なんだかぽつんと残されてしまった僕は、仕方なく一人で家まで帰ってきた。

普通に考えると、ちょっとひどくないか、といいたくなるところだが、むしろあの見事な身のくらまし方は、より神様的な気すらする。彼女は人間だ、と思ってはいても、どこかにやっぱり神様なのでは、という疑念も付きまとう。

確かに角を曲がったところで見えなくなった。でも、その先しばらく真っすぐが続くのに、彼女の姿はなかった。隠れた？　いや、そんなはずはない。一応それらしいとこは全部探したんだ。

「神様、か」

現実味を帯びてくる気もするし、そんなことはあるはずないだろ、と思ったりもする。

ただ、僕にとってはもう彼女が人でも神様でもどっちでもよかった。

「さて」

パソコンを開く。

この中には『世界』がある。

いわゆるバーチャルリアリティを用いた、ゲーム的空間だ。

高校生の頃没頭して、かなりのリアリティを実装して、まさにそこに一つの世界を作ろうとしていた。

だが、それは親の干渉、受験勉強、そういったもので中断されてしまい、いつのころからか興味の外になっていった。

でも、那由に会ってから、また興味が向いてきた。彼女が世界の話をするからだ。

神様の世界、人の世界。次元は違うのかもしれないけど、それぞれの世界。

神様が僕たちの世界を創った、というなら、僕は僕の世界を創ろう。いつ完成するかもわからないけど、そう、時間の流れなんて、見方を変えればいくらでも変化するんだ。

出来上がったらその世界の民に言ってやるさ。『神は七日で世界を創ったんだ』って。

そこまで言って、ふと思った。

那由も、そんな気分だったのかな、とか。そして、だからこそ、最後の七日間を味わいに来たのかななどと。

自分が丹精込めて作ったものが、神様時間のあと七日でなくなる。どんな気分だろう。

そして、彼女の七日間は、僕たちの何日間に相当するんだろうか。

「なるほど、ほんとに実感がわかない。滅びは確実に来るんだろうに」

那由の言う七日後がいつになるのかは知らない。それでも、例えば太陽が赤色超巨星になるころには地球は飲み込まれて焼き尽くされる。

実際には何億年も先だけど、仮にそれが五十年後だとしても、やはり実感はわかないよな、ということなんだな。

そんなことを思いながら、僕はキーボードを叩く。

このちっぽけなマシンの中にも、無限の世界を詰め込むことができるんだ。誰も理解してくれなかった。でも、ＶＲの世界では常識なんだ。この星には、そんな小さな無限の世界が、きっとこれからどんどん増えていく。そう、神様が増えていくんだな。

僕も一人の神様になれば、そのとき、那由と同じ立場に到達できるんだろうか。

そんな、途方もない妄想が広がってきていた。

第四章　世界の時間――あと6日と10時間／17日経過

【那由】

また、帰ってきた。

時間は、数分？

きっちりとした時間の対比ができないから、いつもドキドキする。

こっちの一秒が向こうの一日、とかにもできるみたいだけど、それをやっちゃうと、こっちの一時間が三千六百日。あっという間にショウ君との時間は消えてなくなっちゃうから、出来ない。でも、私たちに残された時間は、一秒一日にしたとしても、『中』の世界で千六百五十年ちょっと。その程度しか残っていない。

時間は切り刻めば無限になっていく。でも、きっとどこかで限界はあるんだろうな。時間の最小単位は何なんだろう。一プランク時間？　これすら、量子力学の中の思考遊戯に近い単位だと思う。

そう思うと、この世界にはわからないことばかり。

そして、わからない世界を模写したのがあの球。

私たちは、あの中に理想郷を求めた。

だから、あの中を見てはいけない、禁忌のモノだ、と言われてきた。いや、私はそう言われてきたことすら知らなかった。それを知ること自体が、禁忌だ、と書かれていた。

「笑っちゃうよね。理想郷を作っときながら、そこを禁忌にするとか」

禁書庫で見つけた資料は、驚きの連続だった。そして、それは私自身の何かを組み替えてしまった。

最初、ありたっけの理想を放り込んで、みんなで管理してそれを眺めて楽しんでいたらしい。中にも入れるようになって、出入りする人たちも増えた。

そのうち、帰ってこなくなる人が出てきた。

だって理想郷だもの。

「理想を叶えるための努力。それが報われるなら、人は進むことができる。この世界にもまだそれがあったころは、みんな帰ってきてたんだよね」

いつしか、この世界は滅びに向かうようになっていた。アレが誰の目にも明らかな形できたからだ。

アレは、少しずつこの世界を侵食していった。

人類と呼ばれる人々は、その終末を計算した。

五百年、百年、五十年、まだどこか他人事だった。

でも、十年を切ったあたりから、滅びは目に見え始めてきたんだ。

圧倒的な人口の減少と、それに伴う当然の結果として、生産性の低下が起こる。

そこから人口を増やすには、人々はあまりにも疲弊しすぎていた。

あとは減るだけ。そして、アレへの対抗もできなくなり、人々は徐々に世界の果てに追いやられていく。

そして気づいたら、私たち『管理者』しかいなかった。

どれくらいの歴史を紡いだのか知らないけど、おそらくは高度な文明を築いたであろうこの世界の人類が残したのが、私たちとこの球。

原則として管理者はこの球の中に干渉しない。そのように生まれたからだ。

自然的発展を遂げる世界を、外から眺めるだけになった。中に入ることは厳しく制限され、いつしか『中』を知る人もいない禁忌となり果てた。

私もずっとそうだった。つい、数日前までは。

でも、私は知ってしまった。その禁忌の中身を。

こうやって、時間をずらしていけば、中の世界ではまだまだ生きていける。

それは仮初かもしれないけど、大切なのは体感時間だ。こっちの七日を『中』で引き延ばせば、七日が来る前に、きっと私の精神が朽ち果てる。それは、寿命だから、受け入れられる、と思った。

「どうしよう……このままの設定だと、私がこっちでのんびりしてるとショウ君があっという間にいなくなっちゃう……でも、ずっと入りびたるには、シギの目をごまかすのが無理だ」

シギはクソ真面目だ。

彼女の価値観は、終末までこの球を守ること。それ以上もそれ以下もない。ともに滅ぶことも彼女の中では当たり前のこととして受け入れられている。

「でもね、それだと、何のために生きてるの？　この七日を待つだけってことに、何か意味があるの？」

私には耐えられない。だって、かろうじて生き残る方法が目の前にある。禁忌がなんだっていうの？　もうその禁忌を裁く人すらいないというのに。

どうせ滅ぶなら……シギを……

そんなことも頭をよぎった。でもさすがにそれはできない。

話し合うなら早くしないと、それこそ、ショウ君と彼の世界の時間は矢のように過ぎていくんだ。そして、ショウ君の時間に合わせていると、あっという間に私たちの世界に最後の審判がやってくる。

こうやって考えている数分で、きっと数時間くらいたってしまう。

どうしよう。早く戻りたい。こっちのわずかな時間が向こうの一日。でも、次第に私はこちらに帰ってくるのが面倒になってきている。

シギに打ち明ける？　いや、無理だ。でも、このままじゃそのうちバレちゃう。

そのとき、シギはどうする？　私は、どうする？

時間はもう今日を入れて六日と少ししかない。

滅びはどんな形で来るんだろう。星が壊れたら、この球も終わるよね。

なにもわからない。私たちは、本当に本当に小さな存在なんだ。きっと、高位の存在から見たら私たちが道を歩いたときに踏んでしまうような、そんな。

少し、調べたいこと、知りたいことがある。でも、こちらで時間を消費する危険がある。

それなら、時間の速度を向こうとこちらで合わせる、という手もある。その分、向こうの残り時間も減っちゃうけど……

はあ、悩みは尽きない……

でも、やるなら早い方がいいよね。よし。

【翔】


あれから那由が来ない。もう三日だ。

街に出て、突然声を掛けられるパターンを期待してみるが、それもない。

彼女がいないことに、なんとも言えない空虚さを感じるようになってしまった。

スマホでもネットでも連絡がつくこの時代に、那由との連絡手段が全くない、ということは少しストレスだ。

一方で、世界を作ることに熱中し始めた。

VR技術は進歩していて、もう間もなくフルダイブといわれる、精神そのものをゲーム空間内に取り込んで、まるでリアルな体のようにアバターを使える時代が来るといわれている。

僕は、高校時代にその世界の到来を夢見て、自分の『世界』を作り始めた。

幸い、好きなことにはとことんのめりこむ性格が上手くハマって、難しい技術書なども苦も無く読みこなせた。試行錯誤を繰り返すうちに、ちょっとしたプログラマのようになっていったし、試しに作ってみた小規模なゲームは賞を受賞したりして、かなり気をよくしていた。

真剣にこの道に進もう、とさえ思ったのに、そこで横やりが入った。

『そんなものが何の役に立つんだ』

そういわれて、なりたくもない医者の道を強要されることになる。そこで、僕のすべてのやる気と興味は根こそぎ奪われてしまったんだ。

けれど今は違う。

僕は女神に出会った。本当かどうかは知らない。彼女の設定なのだろうとは思う。けれども、神に並ぶには神になる必要がある。だから僕は『世界』を再構築し始めた。桃源郷、という言葉がある。まさに、そんな理想郷を僕はこの箱の中に作ろうとしていたのだ。

没頭してキーボードを叩いていると、スマホにメールの着信が入る。

『銀行入金のお知らせ』と書いている。そんな予定あったっけ、と思いつつ口座を確認する。今はネットですぐに見ることができるから便利だ。

「げ！」

口座を確認して、僕は我が目を疑った。

そこにはカタカナで、『トウセンキン』と書いてある。

「おい、桁がおかしいだろ……」

マジかよ、と震えた。

神様は、マジだ。ありえない。一番下の六等ですら、いつも当たるもんじゃないんだ。それが、たった一枚、それも、『奇跡が見たいの？』といわれて買った一枚だ。

それが当たる？　それも、六等じゃない。

この金額があれば、しばらく何の心配もなく旅ができるくらいだ。そうだ、那由を連れて……

「何考えてんだよ、俺」

そこで我に返った。

那由がどこにいるかわからない。素性も分からない。いや、素性は、もう神様でいい。

でも、僕と彼女の関係は曖昧だし、じゃあ旅行に行こう、なんて言える関係でもない。

「でも、見たがっていたよな。世界を。綺麗だって言ってた」

もちろん、この当選が偶然だ、というのが常識的な判断だろう。

でもできすぎている。

そう考えると、那由が言っていた、彼女の故郷の話も真実味を帯びてくるのだ。

神様の世界は、滅びに瀕《ひん》している。あと七日で。

それが事実なのだとすれば、その七日を精一杯楽しんでもらうためにこの金を使うのは、奇跡の代償としては筋なのではないか。

「那由は、どこにいるんだ」

見つけないと、と思うが、いつも見つからないじゃないか。そして、那由が僕を見つける。

また那由が見つけてくれるだろうか。

今までのことは神様の気まぐれだったんじゃないだろうか。

この当選の事実と、それまでの彼女との会話から、那由が突然別次元の存在に思えてしまった。自分の中に、那由が神様だ、という認識が自然に生まれてしまった。

それだけに、自分の手が届かないところへ行ってしまうのが普通じゃないだろうか、という焦りさえ覚えた。

那由の存在の謎めいた部分の、ほんの一角が確信めいたものに変わった。でも、まだ確実じゃない。ああ、まずいな。

僕は、本格的にこの女神様のことが気になり始めている。

「落ち着こう。まずは、落ち着くんだ」

当選金のこともそうだが、今、自分の身に何が起こっているのか、というところを冷静にならないとだめだ。

すべては、次に那由に会ったとき。探しても見つからないなら、見つけてくれるまで待とう。

その間、僕は、この『世界』を作ろう。那由が見てみたい、と言った世界を。

那由が起こした奇跡は、僕を大きく変えた。お金の問題は人生の悩みの九割以上というが、確かにそうだ。一気に世界が広がったような万能感を得た気がする。

でも、それ以上に得たものがある。何物にもとらわれず、僕の世界を作っていこう、という気力に満ちたことだ。

まるで、高校時代に熱中していた時のように、僕は電脳の中に存在する僕の宇宙を創ることに時間を割いていた。

時代は便利だ。部屋にいながら、食料も日用品も注文できて、家まで運んでくれる。その気になれば、一歩も外に出ずに暮らしていけてしまう。

健康的とは言えないが、おかげでがっつりと世界構築に没頭できた。

「那由、どこへ行ったんだろうか」

そのうち、ひょっこり現れると思っていた。チャイムが鳴るたび、那由が来たのかもしれない、と胸を躍らせた。そのすべては届け物だったが。

那由はどこへ行ったのだろう。奇跡を一つ見せて、去ってしまったのだろうか。

僕は、またあの女神に会える日を信じて、ただキーボードを打っていた。彼女を知るために、僕にはこの行動が必要なんだと信じて。

【那由】


禁忌の書庫。そう呼ばれる部屋がある。

実のところ何度か忍び込んで本を読んでいた。あの『球《スフィア》』の中を知ったのもそこだった。入る方法、時間調整の方法、管理のすべてを記した書物があった。

まだ全部読めてない。

この本を知らなかったら、私はこのまま朽ちるしかなかった。私にとっては禁忌ではなく、希望の書だった。

だけど、みんなは禁忌だといっていた。

そのみんなも、今は私とシギだけ。この世界にいるのは、この二人だけなのかもしれない、と思うくらい、みんないなくなった。

世界がどうなってしまったか。知る術《すべ》を失ってもうずいぶん経つ。

ここと同じような管理施設があって、そこにもやっぱり『球《スフィア》』のようなものがあって、私たちのような管理者がいるんだろうか？

すごく知りたい。でも、知ったところで何もできない。

生まれてからこっち、私たちに課せられているのは、『ここ』を守ることのみ。それ以上のことをするための能力も権限も道具も知識も、なにもない。

最初は何の疑問もなかった。知っていることは、それしかなかったから。

でも、知ってしまった。

それはきっと、私だけじゃない。だって、ひとり、ひとり、消えていったんだもの。

怖い、と思った。そして、次に、なぜ？　と思った。

仲間の中で話題に上《のぼ》ることもあった。でも、答えを見つける前に、またひとり。

そして、私とシギだけになった。気が付けば、世界は終わる。私たちは、終末の番人として生きてきたんだ。

「でも、もう違う」

そっと、書庫の扉を開く。

電子技術が進み切ったこの世界で、どうして紙の書物が置かれているのか。

最初は疑問だった。でも、今は違う。

「まさかの時に、残る可能性があるのはこっちなんだよね。そして、これは、ここまで残り続けてきたものなんだ」

デジタルアーカイブも残ってはいる。でも、その一部にはプロテクトがかかっていて、私たちが取り込むことができない。もしそこに『中』の資料があって、電子取り込みができれば、きっとこの禁書庫にあるデータを圧縮学習で全部記憶できるのに。

でも、そのプロテクトデータが何らかのさらに深い禁忌に関するものなのかな、と思えるようになったのも、この禁書庫のおかげ。

禁書庫、と言われているから近づかなかった。でも、開いてみると、そこは未知の世界だった。

私の知らない世界が山ほど眠っている。

当たり障りのない過去の世界のデジタルアーカイブは、私たちが使える端末にもたくさんある。だから、見たこともない青い海や空も知識では知っていた。

知っていたけど、それがどういうことか、考えなかった。禁忌に触れるまでは。

私は、見たんだ。

この目で確かに。

この意識で確かに。

美しく青く澄んだ海と空を、ショウ君と見たんだ。

それが、私にとっての現実。じゃあ、この世界の現実は何なのだろう?

あの『球《スフィア》』の中にあるものを知った人は、みんなあの中に行ってしまったんじゃないだろうか。

シギは、知ってるんだろうか。

お目当ての本は、書庫の奥の方、見つけにくいところに置いてある。

私が最初にこの本を手に取ったときは、入ってすぐの目につくところに置いてあった。私が隠したんだ。

そして、今思えば、あれは消えた先人からのメッセージだったのでは、と思ったりもする。

「まだ、あった」

ホッと、ため息をつく。

もしこれを見ることをよしと思わない人が私のことを感づいて、処分していたらどうしよう、と思っていた。もっとも、そんな人がいるとしたら、もうここにはシギしかいない。

シギは、とてもいい子だし真面目だと思う。

でも昔から、型から外れない、扱いにくい子、という評価はみんなの共通認識だった。だから、シギは私の行動をよく思わないだろうな、という感覚はある。

この本を見つけたとき、私は興奮した。

あの『球《スフィア》』の正体がわかったのだから。

あの中には『世界』がある。それを知った時、その中を覗きたい、と思うのは当然のことだった。

そして、私は覗いた。そこに広がっていたのは、奇跡の世界だった。

人がいて、草木があって、青い世界があって、美味しいものもたくさんあって。全部、ここにはない。あれを知って、あそこに行きたいと思わない人は、きっといない。

「だから、気になったんだ。この『球《スフィア》』は、一体だれが何のために創ったのか」

そう、これは、創られたものだ。その証拠に、この球は私たちのいるこの施設で厳重に管理されている。私たちは、そのためだけに存在している。中身も知らずに、ずっと守ってきた。

でも、この本には、その経緯は書かれていない。これはただのマニュアルだった。それでも、魅力的な一冊には違いない。私はこっそり出入りして、むさぼるように読んだ。そして、必要と思う知識をデジタルアーカイブから探し出して、『学習』した。

私は知りたい。どうしてあの世界が創られたのか。

そうして何度もここに出入りするようになった。もはや、止められない中毒のようなものだ。

今日はそろそろ、と思った時、入り口の方で気配がした。

「まさか、シギ……？」

ここには二人しかいない。私じゃなければシギしか。

気づかれた？

私は息を殺して入り口の方を覗き見る。

誰もいないように見える、けど……

私たちの感覚は鋭敏だ。そのように創られている。この空間の中に、シギはいる。

私の感覚はそう伝えている。そして、シギだってそれを知っているはず。なら。

「シギ、なの？」

私は声をかけた。

この距離で感じている以上、向こうも私を認識している。隠れる意味はない。

「ナユ、やはりここにいたのね」

いつもの、冷静で濃淡のない声が返ってくる。

見つかった、まずい、と思う反面、良い機会かもしれない、とも思う。

「ここが禁忌だと、知ってるわね？」

シギが姿を現したので、私も書庫の陰から出る。薄暗い書庫の中で、私たちは相対した。

「知ってるよ。だから、なに？」

私は少し開き直ってみせる。シギの反応を見たかった。

「ここで知ったことは、何も意味がないのよ。むしろ、苦しくなるだけ。来るべき場所じゃないわ」

シギは淡々とそう告げる。

「私はそうは思わない。ここには希望がある。ねえ、シギだって気づいてるんでしょう？　あと七日で終わっちゃうんだよ？　シギはそれでいいの？」

そう、ここには希望がある。何かで読んだ。そう、パンドラの箱。

この書庫は、パンドラの箱だ。

私たちが今直面している絶望。まき散らされた様々な不幸や困難の中、ここに残っている情報や知識は、まさにパンドラの箱の底に残った希望じゃないだろうか。

私には、ここに眠っている書物に記されているものすべてが、きらびやかな希望の輝きに見える。

「希望なんて、絶望を際立たせる幻想でしかないわ。今の私たちが抱える現実に、それは何か寄与するというの？」

「シギは、どうしてそんなにかたくななのかな」

「あなたはどうしてそんなに奔放なのかしらね。私たちは、同じマザーから生まれた同じ目的のために作られた存在でしょう」

「そうだけど……でも、だからといって同じ存在になるわけじゃないわ。全部同じだったら、そこに多様性は生まれないって、マザーも言ってたじゃない」

マザー。私たちがそう呼ぶ存在は、私たちのすべてを創ったモノ。何かはよくわからないけど、私たちの中にずっとある存在。

もしかすると、私たちにとっては創造主なのかもしれないけど、神様とはちょっと違う。もっと、なにかこう、現実的で世俗的で、無味乾燥なモノだ。

「多様性、か。そのおかげで今は私とあなた二人しか残っていない。みんな、どこかへ行ってしまった」

シギはあきれたようにため息をついた。

「どこか、か。ねえ、シギ、この施設から私たちが出られると思う？」

外はずっと曇り空。時折とんでもない嵐が襲う。見渡す限り荒野で、人も生き物も、植物さえ見えない。

「出られるわよ。生きることを諦めるなら」

「じゃあ、みんな、そうだって思う？」

私も、ずっとみんなどこに行ったのか、って思っていた。

でも、ここを知ってわかったんだ。

みんな、『中』に行ったんだ、と。

「知らないわよ。そんなの。さあ、油売ってないで、あなたの仕事をしなさい」

「仕事、ね」

シギはそれだけ言って出ていってしまった。

仕事、ってなんだろ。

もう七日でこの世界が終わる。正確には六日と十時間少し。そこでやる仕事に何か意味があるのかな。

もう、この世界のデータを取る仕事に意味はないし、ここを守る仕事だって、強制的にもうすぐ終わるんでしょ?

そして、私たちも終わる。

昔は、そんなものか、って思ってた。

でもね、私は知ってしまったんだ。

私は、滅びるために生きてるんじゃない、ってことを。

私は、希望のために生きたいんだ、ってことを。

だから私は、『中』で生きるために必要なことを学ぶ。いや、これはもしかしたら、世界の歴史を学んでいるのかもしれないけど。

その膨大な量のアーカイブを記憶に流し込むのには時間がかかった。その時間は、世界の終わりへ向かう時間と引き換え。

私はショウ君に会いたい。だから、世界の時間を犠牲にしながら、私のための、私たちのための知識を、今、流し込んでるんだ。

これが正しいのかどうかはわからないけど、ね。

第五章　幻覚の那由　——あと5日と18時間／25日経過

【翔】

那由が来なくなって二週間がたった。この一か月でたった三回。それが僕と那由が会った回数だ。

今、僕は彼女と無性に会いたい。

でも、僕は彼女を探していない。ただただ、世界を作ることに没頭していた。

神様とこっちの世界では時間の流れが違う。彼女はそう言っていた。

きっと、那由には那由のなすべきことがあって、向こうで少しがんばっただけで、こっちではすごい時間が流れるのだろう。

だから、僕には立ち止まっている時間がないんだ、と思った。

僕の体感時間と那由の体感時間が違うなら、僕の一生は、もしかすると彼女にとっての最後の七日間にも満たないのかもしれない。

そう思うと、いてもたってもいられなかった。

もし、次那由と会うときに、僕が老人になっていたり、あるいはもうこの世界にいなかったとしても、僕の『世界』が残っていれば、きっと那由はそれを見つけてくれる。

だって彼女は神様なのだから。

そう信じて、僕は今これをやりたいと思ってやっている。

こんなに充実した二週間は、ここ最近なかった。生きている、という感じがする。没頭するあまり、教務課と約束した出席なんてどこかに消し飛んでしまった。僕にとって、それはあまりに重要ではなさ過ぎた。

ほぼほぼ引きこもりの中今日もキーボードを打っていると、突然玄関からガチャリ、と開錠される音がした。僕は、ぎくり、として、瞬時に我に返った。

「……父さん！」

ずかずかと入り込んできたのは、父だった。その形相は怒りに満ちている。

「お前、ほとんど授業に出とらんらしいな。大学から連絡があった」

「いや、それは」

「言い訳はいい！　さあ、帰るぞ。お前には失望した。もうここに住む理由もない。

お前、六年での卒業は絶望的らしいな。しかも、大学の方から、できたら自主退学を、とも言われたぞ。お前に医者になる資格はない、とな」

ものすごい剣幕で怒ってくる父親に、僕は気圧《けお》されていた。

そうだ、昔からこうなんだ。

両親は僕に期待する。それはいい。でも、過度な期待は重い。僕がやりたいことも認めてくれないし、いつも誰かと比べて、そこより上でないと褒めてくれない。下に行こうものなら、長時間の説教や、食事抜き、時には暴力だって当たり前だった。

ようやく、ここでそれから逃れられたと思っていたのだけど……

「さあ、部屋から出ろ、荷物を出す」

「え！　いや、それは！」

あまりに突然すぎた。しかし、父の後ろには引っ越し業者が来ている。もう何を言っても聞き入れないだろう。

この人はそういう人だ。

いつも自分が正しい。自分が絶対だ。自分の言うとおりにすれば成功する。

確かに、この人は成功して財を成したかもしれない。でも、かなり強引な手腕でやっていることを知っている。多くの従業員や関係者に無茶を言って、多くの人生から搾取をして、成り上がった。

ただ、学歴がないことがコンプレックスだった。だから、金に飽かせて僕に最高の教育を受けさせ、親の自慢として医者にしたかった。そうだと、僕は思っている。

だから、僕はそれに従うふりをして、自由を得たかった。

短い自由だった。ここを引き払ったら、那由はどうやって僕を見つけるだろう。

「なんで、いつも勝手なんだよ……」

「ああ⁉」

僕は、初めて父に言い返そうとしていた。体が震える。今まで虐げられてきた記憶は半端じゃない。どんなに勇気を振り絞っても、体が勝手に逃げようとする。でも、踏みとどまった。

「俺は、人形じゃない。俺は、俺のやりたいことをやる。人生、一度しかないんだ。俺は、あんたのようになりたくない」

「親に向かって、あんた、とはいい口の利き方だ。お前なぞ、所詮何も出来ぬひよっこだ。仕事もできない、大学に通うことすらできない。そんなお前には金もない。生きていくことすらできない。だから、医者にでもなれば安泰だと思って道をつけてやったのにな」

父は僕を汚いものでも見るような目で見下しながら吐き捨てた。今回のことは相当頭にきているようだ。

そりゃそうだろう。

医学部に合格してからこちら、両親はことあるごとにそれを自慢して回っていたんだ。ところがどうだ。ふたを開けてみれば僕は大学に通わず、学校の方からもう来るな、といわれるありさまだ。

怒り心頭、とはこのことだろう。でも、勝手な話だ。

僕は那由を知って、考え方が変わったんだ。

最後は、やってくる。絶対にだ。これは誰に関しても平等にやってくるんだ。その最後に瀕した世界にいる那由。最後の七日間を過ごそうという那由。彼女の最後を、僕は見届けたいとすら思った。

那由の話を信じるなら、僕と那由の時間は致命的に違う。まるで、人間がペットを飼った時、どんなに愛してもたいていの場合は先に看取らなくてはならない、というような、それくらいに絶望的に寿命も、生きている時間も違うんだろう。

だから、僕はもう自分の人生を自分で決めたい。

僕は感情のままにカバンをひっつかんで、その場を飛び出した。ＰＣの電源を落としただけでも冷静だったと思いたい。

後ろで何かわめいているけど、耳には入ってこない。どこに行くあてがあるわけでもないけど、ただここから消えたかった。

ああ、またぞろいやな感情が湧いて出てくる。

子は親を選べない。

親ガチャ、なんて言葉もあるけど、いい得て妙だと思う。

いろんな親子がいると思うし、親が金持ち、というのは傍《はた》から見るととても良い環境に思えるだろう。実際、今日の食事にも困っている子供がいる、とテレビやネットでもよく報じられている。

それに比べれば、僕はきっと恵まれている。

それでも、だ。

それでも、僕はここから逃げ出したかった。だから、あのビルの屋上まで行った。

そこで人生を終わらせるつもりだったのに、なぜか、人生を変えられてしまった。

那由のせいで、いや、那由のおかげで、か。

今の僕は簡単に終わらない。

次に那由に会うまで、僕にはここで生きる義務があるんだ、と勝手に思っている。

とりあえず、財布の中身を見る。今の手持ちでも数日は過ごせるだろう。カバンの中には通帳や免許、その他大事なものは一通り入れてある。こうなると、できるだけ手を付けたくはないが、いざとなればあの当選金は命の綱だ。

その間に、那由が来てくれれば、僕はきっと那由と旅に出る。彼女に見せたいものがたくさんあるし、僕は那由のことをもっと知りたい。

僕は街をさまよった。どこに行けばいいのかわからなかった。

居場所がない。また、居場所を失ってしまった。

一人でいられるあの空間は心地よかった。しかし、もうあの場所は侵されてしまった。

家族、という単位は絶対的なものという認識が、社会にはある。家族は大事に、血のつながりは大切、など。

でも、僕にはそんな感覚はない。産んでくれと頼んだわけでもないし、産まれてみれば、その人生の選択肢すべてを管理してくれ、と言ったわけでもない。

僕には自由はなかった。家族は、足枷《あしかせ》でしかなかったんだ。

誰も僕を認めてくれなかったし、僕の言葉を聞いてくれなかった。だから、従うふりをして手に入れた、せめてもの反抗をするための城だった。

けれど、やはり僕は無力だった。向こうがその気になれば、簡単に奪える。その程度のモノだったんだ。

ああ、那由に会いたい。

僕はまた、都会の雑踏の中にあの白い姿を探そうとした。

でも、そう都合よくは見つからない。

「どこへ、行こうか……」

当面、今夜の宿が欲しい。どこかホテルに泊まることも考えたが、できるだけ節約したかった。できるかぎり那由の奇跡に手を付けたくはなかった。おかげで学生には分不相応な金額を持ったが、それでも、一生遊んで暮らせる、というものでもない。だから、あれは那由にこの世界を見せるために使いたかった。その後は、何も考えていない。

「ネカフェ、か」

ネカフェ難民、なんて言葉もあったな。自分がその立場になってみると、ちょっと親近感もわいてくる。そうか、みんな生きにくいんだな、って。

狭い個室に、ひとりになる。

ひとりでいると、いろいろな考えが頭をめぐる。

あの部屋は、どうなるんだろう。荷物は本当に持っていかれているんだろうか。

とっさにPCの電源は落としたけど、データは無事だろうか、など。

あのデータさえ無事なら、荷物はもうどうでもいい。あれは、いつか那由に見せてやりたい世界の一つなんだ。

ひとまず、現実の問題から逃避してきたが、作業できる環境をなくしてしまった今、僕はまた手持ち無沙汰になる。せっかく、生きる意味を見出したというのに、これでまた振り出しだ。

那由が女神なら、さしずめ両親は悪魔なんだろうか。いや、悪魔ならもうちょっとスマートにいろいろ話が通じるだろうな。きっと悪魔以下の何かだ。

「ま、心配してくれるだけいいいんじゃない？」

「うわ！」

耳元でいきなり涼しい声がした。

「え？ ええ？」

「や、ショウ君、久しぶり、かな？ 私は、えーっと、半日ぶりくらいかな？ ちょっといろいろ勉強してたらあっという間に時間たっちゃって。危ない危ない」

「ど、どうやって入ってきたんだ！」

ここは個室だ。最近のネカフェは完全に壁と天井で仕切られ、施錠もできるタイプの部屋がある。プライベートもしっかり保たれるし、盗難にも遭いにくい。

それは言い換えると、外から勝手に入ってくることはできない、ってことだ。

でも、那由はいつの間にかここにいる……

「まあ、神様だからねえ。私に施錠は意味ないよ」

「なるほど。神様だから、か」

納得してしまう自分も自分だが、僕はもう那由を女神だと思っている。常識的なことわりに反しようとも、那由が目の前にいる、という現実があればその他はどうでもよかった。

「で、ショウ君は何でこんなとこにいるのかな。おうちにいると思ってたけど」

「神様でもそれはわからないのか」

「人の心には踏み込めないからね。でも、ショウ君のいるところはわかるよ」

「そりゃよかったよ」

ちょっと心配していた。あの部屋を追い出されてしまうと、那由が僕を見つけられないのではないかと。でも、杞憂《きゆう》だった。那由は神様だ。僕のことを追跡するのは簡単なことなのだろう。

「あ、そういえば！　奇跡！」

僕は唐突に思い出した。那由が示した奇跡を。ネット口座にアクセスして、その残高を那由に見せる。

「あ、当たったんだよ！」

「そっか、良かった。私が示せる奇跡なんて、ちょっとした確率パラメータの変更くらいだからね。それは、この世界でどれくらいの価値なの？　貨幣制度っていうんだっけ？　私たちの世界にはもうないから」

那由にはこの金額の意味はあまりわからないようだ。

「まあ、それなりの期間、那由にこの世界を見せてあげられるくらいの金額かな」

「そっか。そういうのもいいね。最後の七日間にふさわしいかも」

言って、寂しそうに微笑む。

僕はこの笑みを、喜びの笑みに変えたかった。いつしか、そう思うようになっていた。

「那由の世界の時間は、あとどれくらいあるんだ？」

気になっていたことを聞いてみた。さっき、半日ぶりといった。でも、僕には約二週間ぶりだ。単純計算すると、那由の世界での一時間から二時間くらいがこっちの一日だ。それなら、こっちにいるほうが那由にとっては残り時間が増えるんじゃないだろうか。それとも、体感時間としては変化ないんだろうか。

「五日と半分くらい、かな。正確なところはわかんないけど」

「俺は那由に会うのが二週間ぶりなんだ。さっき、那由は半日ぶりって言ったよな」

「言ったよ」

「じゃあ、じゃあ、こっちにいるほうが、那由はたくさん時間を持てるんだろ？」

「うん、そうだよ。そうなんだけど、ずっとこっちにはいられないんだ」

「なんでさ」

那由は少し困ったような顔をした。

「今はまだ言えないんだ。ごめんね」

「そうか……」

やはり、那由のことを知る、というのはまだ僕にはおこがましいのかもしれない。

でも、那由は僕に会いに来てくれている。それは信じていいんだろうか。

あのビルの上で会ったのが偶然だとしても、その後は那由が僕を選んできてくれている、と思う。僕から那由を見つけることはできていないんだから。

「ところで、ショウ君どうしてここにいるの？　部屋にいると思ったのに」

那由は話を戻してきた。僕としても答えにくい話ではあるが、那由のことを知りたいなら、僕のことも話さないとダメだろう。

いや、そもそも、那由と知り合った場所が場所だ。彼女は僕が誰にも知られていないことを、もうすでに知っている。今更かもしれない。

「親と、折り合いが悪くてさ」

「んふ、それは知ってるよ。でも頑張って勉強して、あの部屋を勝ち取ったんじゃなかったの？」

「そうだけどな。取り上げられちまったよ。ついさっき、親が怒鳴り込んできて。引っ越し業者まで引き連れてさ」

「あら。こんなところにいていいのかな？」

「いいさ。別にあそこには必要なモノなんてない」

「そうなの？　『世界』はどうするの？」

僕はその問いにはすぐに答えず、目の前にあるパソコンを叩き出す。

「ここにあるから。開発環境は再構築になるけど、データはクラウドにあるからね。直前まで作業してたやつは、さすがに消えたみたいだけど、ま、問題ないよ」

「クラウド？」

「あー、簡単に言えば、あの部屋のパソコンの中に入れてなかったって事」

「そっか。よくわかんないけど、『世界』が無事でよかったね」

満面の笑みで言う那由は、本当に喜んでいるようだった。

そういえば、彼女の世界は今どうなっているんだろう。

「那由の世界はどんなところなのさ」

あと七日足らずで、いやすでに五日と半分くらいで滅ぶ、という那由の世界。その割に、朗らかに見えるその様子と上手くつながらなかった。

「私の世界、か。何もないよ。いや、昔は、いろいろあったらしいんだ。でも、私たちはそれらを直接知らない。知識や資料として知ってるだけ」

「知識や、資料で……」

想像できない。

あ、いや、例えば過去の歴史とかなら、僕らでもそうだ。写真や映像が残っている場合もあるし、実際に見たことがなくても、知識として知ることはできる。

でも、那由の『なにもない』と『前はあった』というのが上手く想像できない。

僕たちは、生まれながらにして様々なものを持っているのが当たり前だからだ。そして、過去より今の方が、持っているものは多いんだ。

「でもね、ここには全部ある。これがいつかなくなるものだとしても、私は守れるなら守りたい。でも、ごめんね」

那由は悲しそうな笑みを浮かべた。

「私たちの世界がなくなれば、ここもなくなるんだ」

神様の世界。

人間には想像もつかない。

昔から、多くの宗教が神の名のもとに生まれた。でも、それらは人が創った神だ。

本当の神様ってのは、どんなものなのだろう。

那由が本当の神様だとして、神様はひとりなんだろうか。それともたくさんいるのだろうか。

那由の断片的な話から想像すれば、きっと神様の世界にも文化や文明があって、いま、そこが滅びに瀕している、ということになるんだろうか。

僕は、ゴクリ、とつばを飲み込んできいてみた。

「いつ、なくなる……？」

那由の七日は、僕たちの何日なんだろう。

きっと、まだまだ遠いと思いたい。半日で二週間なら、単純計算で一日が四週間。七日だと、半年ほどしかないじゃないか。

そんなあっという間に、僕らは滅びるのか？

「わかんない。それは、私にもわかんないんだ。一緒に滅びることは確実なんだけど、その時間がいつなのか、ってのはね」

「でも、今の計算だとこっちも半年くらいしか……」

「それもね、定量的に対応してるんじゃないんだ。神様の都合で縮めることも延ばすこともできちゃう。でも、延ばしちゃうと、私が向こうに行って帰ってくるだけのわずかな時間で、ショウ君はいなくなっちゃうから」

那由の言うことは、わかるようでわからない。ただ、時間の流れが異なる、という部分で、やはり僕は彼女の向こうでのわずかな体感時間でいなくなる、という予想はあたりらしい。それなら、那由はこちらで暮らすべきなのではないか。

「それじゃ、那由もこっちにいればいいじゃないか。こっちの一日と、那由の世界の一日、体感時間が違うのか？　こっちにいても、向こうの七日はこっちの那由も七日なのか？」

「体感時間は、その世界の時間だよ。だから、ショウ君が言うように、私がこっちで暮らせば、きっと、あっちの世界が終わる前に私もショウ君も死んじゃうと思うよ」

「だったら……！」

言いかけて、ふとよぎった『死んじゃうと思うよ』という言葉。

背筋がぞっとした。何か、冷たいものが下りていくような感覚。

なんでだ。僕は、むしろそれを選ぼうとしたじゃないか。それも、つい一か月ほど前の話だ。それなのに、今は那由のその言葉が怖かった。

「那由は……死ぬのが怖くないのか？」

「ふふ、怖いよ。だから、こっちの世界を見に来たんだ。ほんとは、来ちゃいけないんだけど」

那由は困ったような顔をして、肩をすくめる。

「ねえ、ショウ君、世界って何だと思う？　私たちが生きている世界」

「え？　どうって……そもそも、俺の世界と那由の世界は……」

突然問われて、僕はうろたえた。

「そう、違うよ。でも同じかもしれない。だって、私が知識で知ってるものは、ここにあったんだもの。青い空と海。でも、もう私の世界にはないの」

それに、と那由は続けた。

「私たちの世界がなくなればここもなくなる。これは確実だし、だからこそ、つながってる世界だといってもいいんだよ」

不思議な気持ちになった。正確な理解は及ばないけれど、触れてはいけない何かに触れた感覚になった。

「それは……いや、でも、俺は那由の世界のことを知らないから、なんとも言えないな」

とはいえ、気の利いたことが言えるわけでもない。僕が絞り出せたのは、陳腐な言葉でしかなかった。

「だよね」

くすくすとおかしそうに笑う。そんな那由の表情を見ていると、不謹慎かもしれないが、僕は少し幸せな気持ちになる。

「例えばさ、そう、この部屋」

那由はあたりを見渡す。

ひとり用の個室だ。広くはない。ちょっと横になって足を伸ばすくらいはできるが、二人いると結構いっぱいだ。

そう気づいてみて、ちょっとドギマギした。

こんな狭い密室空間に、僕は那由と二人でいる。

那由は、見た目がちょっと普通の女の子と違うが、それは、ずっとずっときれいで魅力的だ、という意味だ。そんな娘と、今二人で結構な至近距離で会話している。

今までの僕の生活レベルだと、ありえない話だった。

僕は人嫌いで、コミュ障で、勉強はできたけど、部活をするでもないし友達といえる奴《やつ》もいない。ネット上で交流のある連中はいるけれど、それは所詮電子の海の向こうの存在だ。

だから、リアルに息遣いを感じ、視線を交わして会話できる那由という存在は、改めて考えると僕に相応とは思えなかった。

最初は僕の決断を邪魔したうえに、なぜか付きまとってくる面倒な存在だった。でも、そうか。

――僕はいつしか、女神さまに恋をしている――

自覚してしまった。

そうなると、怖くなった。

那由を失うこと。那由が目の前からいなくなること。何より、那由の声、表情、息遣い、それらが僕の五感から消えてしまうことが。

「この部屋だってひとつの世界って言えるよね。こうやって区切られた中に、ショウ君と私がいる。そんな感じで、とっても広く区切られた世界がこの世界。もっと広いのが私の世界。そして、その上にもしかしたらもっともっと広い世界があるかもしれない。そんな感じ」

想像はできないが、なんとなく感覚的に考えると、それは僕がこの世界の中で電子の中に作ろうとしている世界のようなものなのだろうか。

「うん、それに似てると思うよ」

訊《き》いてみると、那由はあっさり肯定した。

それも思考遊戯のひとつに思えるし、現実的にはちょっと考えられない、とちょっと前までの僕なら思っていただろう。でも、那由を知った後だと、むしろ、そういった世界が無限に連なっているのが普通なのかもしれないと思えてしまう。

「ところで、ショウ君追っかけてきてみたけど、ここはなんていう場所？」

「あ、ああ、ネカフェ」

「ねかふぇ？」

那由の表情を見ると、ネカフェがわからないようだ。何もないという世界から来た神様は、わりと世間知らずなのかもしれない。

「まあ、インターネットや漫画読んだり、ドリンク飲んだりできるとこさ」

「ふうん？」

今ひとつわかってないような感じだ。

「ねえ、漫画ってなに？」

「知らないのかよ」

「知らない。この外にあるの？」

「ああ、あるけど……あ、おい！」

止める間も有らばこそ、那由は鍵を開けて外に躍り出てしまった。

「おい、まずいだろ。一人分しか料金払ってないのに！」

「だいじょぶだよ！　私神様だから！」

「神様が無銭利用していいのかよ！」

「ま、そこは、まあ、うん、置いとこう！　神様だって聖人じゃないんだよ！」

「めちゃくちゃだ！」

店員さんがどの程度利用者を把握してるかはわからないけど、見とがめられたら謝って金を払おう。

しかし、ここまで入ってくるにはＩＤカードがないと開かない扉もあるのに、どうやって入ってきたんだろう。施錠された個室に入ってきたんだから愚問ともいえるが、やはり気にはなる。

那由は神様だ、というところにもう疑念はない。でも、物理的に施錠されているところに、神様はどうやって出入りするんだろうか、という新たな興味もわいてしまう。

「わあ、本がいっぱい！　まるで、禁書庫みたい」

「禁書庫？」

「うん、私の住んでるとこにね、あるんだ。禁書がたくさんある部屋」

「そんなにあるもんか、禁書って」

「私のところにはあったよ。そこにはね、私の知らないことがたくさんあったんだ。そう、この世界のことだってそこで勉強したんだ。私たちの昔の世界のこともね」

それが、禁書なのか？

僕は、少し違和感を覚える。

禁書といえば、もっとこう、世界を滅ぼす技術とか魔術とか、そういうのが眠ってるっていうのがSFやファンタジーのお約束じゃないだろうか。

そんな他愛のないものが禁書になる世界？　想像がつかない。

「おい、あまりはしゃぐなよ」

テンションが高い那由を、僕は小声でたしなめた。ネカフェは、図書館ほどではないまでも、みんなが静かに読書なりゲームなりしてるところだ。あまり騒ぐのはマナ

―違反といえる。

「大丈夫だよ、多分」

　那由もさすがに声を小さくしたが、確かに、あれだけ大きな声で騒いでいたわりに、誰も反応していない。那由を振り返りすらしないのだ。

「神様、だからか？」

　そういえば、初めて会った時に言っていた。

『私の声が聞こえるんだね』

　と。

　ここでふと気になった。もしかして、他の人には、聞こえないのか？

　でも、僕は彼女と握手をした。触れるということは、物理的にそこに存在しているはず。

「本を手に取ってるし、スイーツも食べたよな……」

　僕は彼女との行動を思い起こす。何度か触れたし、彼女は物を持つし食べる。だから、そこに存在しているはずなんだけど、他のみんなにはわからないのか？

　そう思うと、途端に不思議な気持ちになってきた。

彼女は何者なんだ。神様、とかいう曖昧模糊《あいまいもこ》な言い回しではなく、彼女の本質は何なんだろう。

ひどく興味をひかれた。

「ねえ、ショウ君、漫画ってすごい！　物語がいっぱいだよ！　私、禁書庫でもこんなに面白い物語読んだことないよ！　すごい！　これ全部漫画なの⁉」

「声がでかいって！」

何人かが僕の方を見た。さすがに、やっぱり聞こえてるんじゃないだろうか。

「大丈夫だってば！」

「いや、人が見てるから！」

那由はただでさえ見た目が目立つ。鈴の音のような声もよく通る。あまり目につけてIDカードすら持ってないのがばれてもよくない。

「本は知識の宝庫だよ。ああ、これ全部読んだら、どれくらいこの世界のことわかるかな！」

「いや、別の世界に詳しくなるだけだろ」

「どゆこと？」

「いや、うん、説明しにくいな」

漫画はフィクションだ。現実のこの世界を記しているわけじゃない。あくまでも娯楽のためのものだ。そういった意味のことを那由に教えてやった。

「フィクション、か。ねえ、ショウ君。例えばだよ？　自分のリアルが、フィクションじゃない、なんてどうして言えるのかな？」

「え？」

「この世界全部が、もしかしてもしかするとフィクションだったら、ショウ君はどうする？」

「はは、そんなこと、あるわけ……」

言いかけたとき、何やらどやどやと人の足音がした。

「店員さん、あいつです」

突然誰かがスタッフを連れてきて僕を指さした。なんだ？

「なんか、ひとりでわめいていて気持ち悪いんですよ」

その男は、僕を指さしたままスタッフにそんな説明をしていた。

「ああ、俺も見た」

「私も」

周りにいた連中が口々にそれに同調する。

「え？　いや、どういうこと？　ひとりでって、えっと、ここに」

那由の無銭利用がばれてしまうが、それよりも、おかしな奴、と思われている方がまずい。

自分は那由と話していたんだ、と振り返ると。

「え」

那由はいなかった。

「どういうことだ！　那由！　那由どこ行ったんだ！」

神様は神出鬼没、今までもそうだった。でも、これはない。このタイミングでいなくなられると、彼らの言うとおり、僕はおかしな奴ってことになる。

「いや、ちがうんです！　ここに、確かにもうひとり！」

結局、僕の言い分は容《い》れられることはなかった。

ほどなく通報され、僕は、一番来てほしくない両親に迎えに来られ、連れていかれることになってしまった。

第六章　見えない世界　――あと5日と15時間／30日経過

【那由】


「漫画がいっぱい、すごかったなあ」

私は思い出す。禁書庫もびっくりのあの本の山。

そして、ショウ君には悪かったけど、時間の都合もあってこっちに戻ってきちゃった。タイマーセットしてるからいつも突然で悪いな。きちんとお話しできる時間があればいいのに。

でも、少しヒントは出した。ショウ君はどう思っただろう。

「この、球体の中、か」

私はモニター越しに毎日監視している球体を見る。

それは、多くのコードにつながれていて、さまざまなＡＩによって管理されている。

そして、私たちはそのＡＩを管理する、いわば親玉みたいなもの。私もシギも、そして、いなくなったほかの子たちも、そういった役割を担っていた。

いつの間にか、その子たちは姿を消した。消えちゃった子については誰も言及しないし誰も気にしない。ただ、その子たちが管理していたＡＩはだんだん手が回らなくなって野放しになっていく。ただ、それだけのこと。

私の管理分野は時間と確率、そして、分散と調和。簡単に言えば、この球体の世界の中で起こる事象や、人々の生き死に、時間の概念などに関する管理をしているＡＩを監視すること、だ。

といっても、特にすることはなくて、ただ、異常警報が鳴らないかを見てるだけ。今まで、少なくとも私が管理するようになってからは鳴ったことはない。

だから、とても退屈。

だから、禁忌を犯した。

だって、どうせもうすぐ終わるんだもの。そんな軽い気持ちだった。

でも、そこにはすごいものが広がっていた。

どうしてこんなものを、ずっと隠し続けていたんだろう。そんな疑問が湧いて出ると、もう禁書庫への出入りをやめることはできなかった。

この世界に残っているのは、私とシギだけ。もしかすると、広い世界のどこかには他にも私たちのような人たちがいるのかもしれない。ひょっとすると『球《スフィア》』もたくさんあるのかもしれない。でも、私たちにそれを知る術はない。

果ての見えないようなこの世界で、私たちは、狭い空間で生きている。

「おいしくないな」

お昼ご飯を食べる。生きるために、食事を摂《と》る。ずっとそうだ。

食料はたくさんある。すべて化学的に合成された、生きるのに必要な栄養がたっぷり入っていて、長期保存もできるやつ。

「『中』で食べたスイーツの足元どころか、影さえ見えないよ」

あれはとても美味しかった。一生食べていられる。あれを知ってしまうと、ここでの食事は食べたいとすら思わない。

この世界には、生きるためのものはそろっているけど、生きる意味がそろっていない。最近はそう思う。

でも、もう終わるからいいや、って感じだった。

「知ってしまうと、生きたいよね。シギはどう思ってるんだろう」

ほとんどズルだけど、今やってるように時間の流れの速さを変えて中で過ごせば、多分私たちはこの世界が滅びる前に、中で寿命を迎えることができる。

私たちが中でどれくらいの寿命を持てるか、は別にしても、少なくともあと七日ってことはない。

それを、シギは知ってるのかな。

私とシギは、管理領域が違う。そして、一日に数回会う程度で、お互いの干渉はほとんどない。なかった。だから、私は禁書庫に出入りしていても見とがめられなかったんだ。

でも、最近、見られている気がする。視線を感じる。監視されている。

そんな気がするんだ。

じゃあ、シギも中の世界に興味があるのかな。

「シギはどこにいるんだろ」

持ち場にずっといる理由も意味もない。私はシギを探すことにした。

施設はそこそこ広いけど、今は二人しかいないし、だいたい行動範囲は限られている。

施設管理はすべてＡＩと機械に任されているし、食事は食堂に行けば保存食糧が自動調理されて出てくるし、そのほかのライフラインもすべてＡＩ管理だ。

ただ、あの料理はおいしくないんだよね。生きるために必要、っていうだけ。

だから、中の世界って、ものすごく魅力的。

私たち管理者同士は、一定の距離にいるとお互いの存在がわかる。だから、シギを見つけるのは容易だった。

「あれ？　禁書庫の方？」

シギの気配は禁書庫にあった。

そもそも、この禁書庫、入るなといわれてるわりに施錠もされてないんだよね。監視カメラもセキュリティもない。どっちかというと、入るなよ、入るなよ、と言って入ることを待っているような、そんな雰囲気すらあった。

「シギ？」

中を覗いて声をかける。返事はないので、私も中へ入る。

ここは相変わらず薄暗くて、本を読むのにはちょっと適してない。でも、持ち出してはいけないことになっているので、がんばってここで読む。

考えてみれば、持ち出しに関するセキュリティだってないのに、私はどうして無意味なルールを守ってるんだろう。ふと、今更疑問に思った。

「シギ、いるんでしょ？」

私は奥へと進んでいく。禁書庫の奥には、あれがある。もしかして。

「いた。返事ぐらいしなよ、シギ」

「しなくても、私のいるところはわかるでしょう」

「わかるけどさ」

いつも冷徹冷静で無愛想。任務のことしか頭にない堅物。

それがみんなのシギへの評価だった。私もそう思ってた。でも、二人きりになってからは、時々話すようになって、今は、少し変わり者かな、くらいの評価になってる。悪い子じゃない。

「それ、『中』の本だよね」

シギが手に取っている本は、もはや私の愛読書となっている『中』の説明書だ。

「そうよ」

「興味あるんだ？」

「興味、か。ナユほどじゃないよ。こんな世界は、幻想よ」

「幻想じゃないよ！」

シギの否定に、私は思わず大きな声で叫んでしまった。

「『中』には、本当にあるんだ！　青い海や青い空や、多くの人々の生活や、美味しいものが！」

「知ってるよ」

シギはそれを否定しなかった。でも、その口調には、あきらめの色が含まれている。

「だから、それが幻想だって言ってるのよ。それは全部作られた世界だし、あの中で動いてるのは全部生命じゃないわ」

「そんなことないよ！」

ショウ君は創りものじゃない。ちゃんと会話して、心もあって、彼は彼の思いをもって生きてるし、だからこそ、死んじゃおうっていう選択まであったんだ。

創りものなら心もないし、そんな選択しない。

「シギは、知ってたの？　あの球の中に世界があるって」

私は知らなかった。この禁書庫に入るまでは。

「知ってたわよ。でも、だからどうだと言うの？　創りものの世界がそこにあったからといって、それはただの偽物の世界よ。そこに飲まれるなんて愚かなことだわ。あなたも、今までいなくなった子たちも」

「どういうこと？」

「考えればわかるでしょ？　あなた、『中』に入ったんでしょう？」

「……あ、しまった」

さっき自分で白状しちゃってたね。まあ、いまさらバレてもいいんだけど。

「みんなそうだった。『中』に入っては出てを繰り返して、そのうち帰ってこなくなる。自分たちの任務のことも忘れて。おかげで残った方はいい迷惑だわ」

「でも……任務なんて、特にすることもないし……」

「あなたの部署はね。でも、天候管理や災害管理してる子たちもいたのよ。その子たちの部署では警報はよく鳴っていたし、今は誰も処置していないわ。その意味が分かる?」

「え、そうなの?」

私たちはお互いの職務をあまり理解していない。与えられた部署の与えられた管理を行ってるだけ。

そんな部署があることも、実は知らなかった。

私たちは十三人いた。

会えば会話は交わしていたけど、職務に関する話なんてほとんどしない。

『今日も天気悪いね』

『外は何も見えないね』

生まれてすぐのころはそんな会話もしていたけど、いつしかそれも毎日の日常になって、話題にも上らなくなった。

そう、会話のネタがないのだ。もともと管理者として生まれた私たちは、感情やコミュニティや社会性を必要としなかった。私だって、そうだった。

私たちはただ黙々と日々寝て、起きて、管理業務をして、命をつなぐためだけの栄養補給をして、そして寝る。

まるで、機械のような生活だった。

でも、今は違うの。

「だったら、私たちは生命なのかな」

ショウ君や、他の『中』の人たちは生き生きしている。私からすれば、ショウ君の『生きにくさ』すら羨ましかった。だから、自らその世界を断とうとしていたショウ君を見つけたとき、思わず声をかけたんだ。

ほんとは、『中』に入ることはおろか、その『中』の存在に関わることもタブーとされているのに。

あの日から、私には、多分人として必要なはずの大切な何かが芽生えた。色褪《いろあ》せた灰色のこの世界に、少しだけ、色がついたんだ。

それなら、日々を刹那的に単調に暮らしている私たちの存在は、生命なの？　機械と同じじゃない？

「知らないわ。どうでもいいじゃないそんなこと」

「なんで？　シギは、自分が何者かとか、気にならないの？」

「ならないわ。私は、与えられた仕事をこなすだけ。それ以上でもそれ以下でもないし、他の何者にもなれないのよ」

「そんなことない！」

消えた子たちはみんな『中』に行ったんだ。

つまり、十一人も中に行った。

あの中に、かつてのここの仲間たちがいて、今もそこで暮らしてるのかもしれない。

それほど、『中』は魅力的なんだ。

こんな、滅びに瀕して何もない世界とは比べようもないくらいに。

なんだか羨ましい気がする。どうして、私にも教えてくれなかったのかな。

あ、そうか。私たちにはそもそも、社会やコミュニティなんかなかったんだ……だから、誰がどうなろうと、そんなのどうでもよかったのかな。

私だって、秘密でやってた。禁忌に触れるっていうことはそういうことなんだ。

でも、シギはそれを否定している。くだらない創りものだと。

「じゃあ、あなたは何者になれるの？　『中』に入ったとして、そこにあなたの居場所があって、価値ある役割を果たせるというの？」

「それは……」

わからない。シギの問いに応えられるだけのものを、私はまだ持っていない。

ショウ君の生きにくさを羨ましいと思ったけど、じゃあ、私に、そこで『生きる術』があるのかどうか。きっと、術があるから生きにくい、という感情も生まれるんだろう。

だったら、術がない私には、生きにくさどころか、生きるという行為も難しいのかもしれない。

「何とか、なるよ、きっと」

この気持ちはどこから出てくるのか、自分でもわからない。

でも、ショウ君に触れると、私が進化していく気がしてならない。だから、私は彼に会いに行く。

「あと五日と少しで全部終わるのに？」

「……そうだとしても、私は、やっと『生きる』という意味が分かりかけてるんだ。やめるわけにはいかないよ。そうだ、シギも一緒に行こうよ！　きっと、シギだって変われる！」

終わる世界にこだわる意味は、もうないと思う。

どんなに私たちが手を尽くしても、この世界は終わる。

それは確定事項だし、何ならずっと前から決まっていた。私たちは、それだけは知らされていた。そしてたまたま私たちがその最後を迎える役割に当たっただけ。

でも、気にも留めなかった。まだずっと先のことだと思っていた。

けれども、その日は必ず来るんだ。

終わりの日、それは、すべての存在するものにとってやってくる。

それを知っていても、誰も気に留めない。そういうものだ。

そして、気づけば、それは結構身近に迫っていたりする。でも考えない。

なぜ？

きっと現実感を持つのは、直前になってからなんだ。それでも、私たちには恐怖という感情が生まれなかった。だから、対処もしなくて、そのための情報もいらなくて、淡々と日々を管理者として過ごしていた。

でも今、私は怖い。『中』の存在を知ってから、それは急に表れた感情だ。

だから、シギも『中』を知ったのなら、怖いと思ってるはず。

私の誘いに、でも、シギは首を振った。

「どうして？　怖くないの？　終わるんだよ？　全部。あなたの存在も含めて全部、だよ！」

「そう、全部。その『中』の世界もろともね。それなのに、どうして私たちはそれを守ってるんだろうね」

「それは……きっと『中』に行けばわかるよ！　行こうよ！」

「いやよ」

シギはかたくなに拒否する。わからない。どうして？　『中』には、私たちがどんなに求めても手に入らないものがたくさんあるのに。

「私は、私の任務から離れることはできない。それは、私が私に課した、私であるための条件だから」

「わからないよ！」

別に、シギと特別仲がいいわけじゃない。

一緒にいなきゃならないわけでもない。

私は私で、私の目的を遂行するだけでいい。

でも、何かが私の心に、小さなとげのように刺さる。

シギとのこのすれ違いが、何か破滅的なものを呼び込みそうな気すらしていた。

だから私はしつこく誘った。

「騙されたと思って、一緒に行ってみようよ」

私は食い下がる。でも、答えは同じだった。

「ナユ、この禁書庫の意味が、分かる？」

そして、シギは私に問いかける。

「意味？」

そんなのは考えたことなかった。

ただ、見られては困るもの、知ってはいけないもの、そういうのがあるのが禁書庫なんだと思っていた。

「あなたも読んだのなら、考えることはあるでしょう？」

「いや、まあ、それは」

全部の蔵書を読んだわけじゃない。主に読んでいたのは『中』関係の本だ。一塊になっていたので、ひとつ見つければそのあとは苦労しなかった。

何度も入るうちに、他の棚の本にも目を通すようにはなった。

そこから推し量れることは。

「ここは、歴史の保管庫、だよね」

私なりの見解を伝えると、シギは静かにうなずいた。

「そうよ。私たちの歴史。全部知るには膨大すぎるけど、それでも断片くらいは知れるわ」

「シギは、知ったの？」

「そうね。禁書庫に通い始めたのは、たぶんあなたより……いいえ、他の消えた子たちよりもずっと早いわ。だから、私が一番この世界のことを知っているかもしれないわね」

「え」

意外だった。

私たちの中でいち早く禁を破っていたのがシギで、しかもそれでも今までこうやってここにいて、何なら、これからも任務を全うする、と言ってるんだ。

そして、彼女でも、何かに興味を持って、こうやってずっと関わり続けるなんてことがあるんだ、と。

「それで……」

私はゴクリ、とつばを飲み込んだ。

「この世界は、私たちにとって守る価値が、あるの？」

その答えを、私は求めていた。そう、『中』の世界を知った時から。


【翔】


警察に引っ張られていった。逮捕というわけじゃないが、店に迷惑をかけた、なんか変な奴がいる、ということで通報されて保護された、という感じだ。

気が付くと那由はいなかったし、警察に説明された話だと、僕はずっとひとりだった、と。

そんなはずはない。那由は確かにいたし、一緒に話して、この前はスイーツの店でケーキを食べたし、なんなら、あの日、契約の握手をした。

僕は女の子に軽々に触れるような真似《まね》はしないが、握手は別だ。あの時、確かに彼女は存在していたし、あの小さな白い手の感触もあったし、体温だって感じた。

それだけじゃない。

そばにいれば息遣いも聞こえるし、鈴の音のような声も耳に心地いい。

いなかった、なんて、ありえないのに。

僕は警察の応接室のようなところに放り込まれ、迎えを待っていた。誰が迎えに来るのかは自明の理だった。僕には両親がいて、法律上は成人しているとはいえまだ十代、彼らが身元引受人になるのは普通の話だ。

会いたくなかった。

会って何を話すんだ。

会って何を言われるんだ。

消えたい。やっぱりあの日消えてしまえばよかった。

「どこかへ行ったと思えば、全く世話を焼かせおって!」

どやどやと父親が入ってきたのは、その時だった。

「さあ、帰るぞ。お前は当分家から出さん。いや、病院に放り込んでやる!」

「なんでだよ！　俺には、俺の人生を選ぶ権利があるだろ！　俺はあんたのおもちゃじゃない！」

言ってやった。

ずっと言いたかった。今まで、怖くて言えなかった。

でも、僕はもう嫌だ。誰かの顔をうかがって、自分の選択肢をすべて否定されて。いくら親でも、僕は所有物じゃない。

法的には十九歳だってもう成人だ。契約に親の保証もいらないんだ。家だって借りられる。

そうだ、どこかに家を借りて、那由がいつ来てもいいようにしておけばいい。自分の家なら、那由がどんな存在だって、誰も文句は言わないだろう。

「お前、ひとりで誰かにしゃべりかけてたそうじゃないか。頭がおかしくなったんじゃないのか？　そんな奴を地元に返すわけにもいかん、うちの恥だ！」

「恥？　そんな考えしかできないから、俺の人生をおもちゃにするんだろ、あんたは！」

僕は精一杯抵抗した。しかし、それすら見透かされていた。金に飽かせて雇っただろう、屈強な男二人に組み伏せられて、僕はそのまま病院に放り込まれてしまった。

＊

病院に放り込まれた翌日、僕は医者と両親同伴の下、ネカフェの防犯カメラの映像を見せられた。

「個室から出た時点から、翔さんには何か見えているようですね」

医者が映像を見ながらそんなことを言う。何か、じゃない、那由だ。那由がそこにいたんだ。

でも、その映像にはいない。那由はいなかった。

「幻覚症状、といってもよいと思うのですが、各種問診、診断テスト、臨床症状を見たところ、その他の部分では異常とは言えないのですよ」

医者は両親に向かってそういいながら首をかしげていた。

当たり前だ。僕は正常だ。そして、那由は確かにいたんだから。映ってないのは、そう、きっと神様だからだ。

そう思えば思い当たる節はあった。スイーツ店でケーキを二つ頼んだとき、ケーキは二つとも僕の目の前に置かれた。

那由があの目立つ容姿で歩き回っていても、誰一人彼女に目を向けなかったこと。突然現れて突然消えること。

映像に映っていないということに関しては、すべてつじつまが合う。

ただ、医者の言う幻覚なんかじゃない。

「しかし、この状態はおかしいんじゃないですかね、先生」

「まあ、一時的な幻覚状態は確かにあった、と思われますが、しばらく様子を見てはいかがですか、お父さん。薬は処方しますが、今のところ幻覚は見えてないようですし。そうだろ、翔君？」

医者は僕に確認を求めてくる。

確かに那由は今いない。でも、ここで、うなずいたら、那由が幻覚だということを認めることになる。

だから、僕は否定も肯定もしない。

「那由は、触れたんだ」

ただ、それだけを言った。

医者は、小さく首を振って、また両親に向き直った。

「幻触もあるのかもしれませんな。とにかく様子見ですよ」

彼らの中では那由は幻覚ということで収まっている。

確かに映ってないのだから、そうなるだろう。

那由が神様でないならそれでもいい。僕の脳の中にいるだけの存在なら、それはそれでいいじゃないか。誰にも奪われないんだから。

生々しいリアルな幻覚を見る病気もある、という。それは現実と区別がつかない、とも言われているらしい。

でも現実って何だ。

僕がそうだと思えば、僕の中ではそれが現実なんじゃないのか？

言い換えれば、親の思っている現実の中に、僕のリアルはないんだ。それこそ、非現実な世界なんだ。

僕は、入院措置となっているが、これ以上抵抗してもまた抑え込まれるだけだ。

今のところ、入院は実家と離れられるという点ではむしろありがたい。さっさと帰ってくれ、と思う。

ほどなく両親は帰り、僕は病室に放り込まれた。体のいい軟禁だ。


「那由は、いたんだ」


僕にとって彼女は現実だった。幻覚でも妄想でもいい。もう一度現れてくれ。

そう願いながら、僕は窓の外を眺めていた。

月が出ている。街の空では星はあまり見えないから、月が出ていると、少し空がにぎやかに思える。

「月、か……」

宇宙は嫌いじゃない。むしろ不条理と不思議と未知がカオスのように存在しているから、現実から目を背けたいときにはとてもいい。

あの世界では、僕らの知っている常識なんて、いとも簡単に覆される。完璧といわれるアインシュタインの相対性理論だって、量子論の世界だと通用しないこともあるらしい。

つまり、世界の視点や測定の基準が変われば、この世界はいとも簡単に別のものに書き換えられるのかもしれない。

那由が言っていた。

『神様の時間とこっちの時間は、流れが違うから！』

その意味を少し考えてみる。

那由が現実にいる、と仮定して、いや、仮定じゃだめだ。那由はいるんだ。

そして、那由がいるということは、現代の物理的な映像技術に映らない何らかの存在がいる、ということになる。

まさに神様じゃないか。僕からすれば、これは那由の存在証明になるんだ。誰にも見えなくても、僕には神様が見えてる、というのは悪い気分じゃない。

とにかく、那由がもう一度来てくれれば、一歩前進できる。

彼女が僕のそばにいるなら、僕はすべて捨ててもいいし、旅に出るくらいのお金もある。その先のことは、またその時考えればいい。

今の面白くもない現実から逃れられるなら、すべてなくしてしまってもいい。一度はすべてを終わらせようとしたんだ。だから、今自分の信じるものを追いかけることに迷いはなかった。

「那由、次はいつ来るんだろうな、こっちに」

彼女の世界のことを知りたい。いつも聞こうと思うんだけど、那由が僕の前にいる時間は、それほど長くはないし、突然いなくなったりもする。

それは、時間の流れが違うことも影響しているのかもしれない。

「滅びに瀕している神の国、か」

那由から聞いた数少ない情報をもとに、僕は夢想する。病室には何もないので、それしかすることがないからだ。

「時間の差、か」

時間の流れには差が出る、というのは現代の物理学では常識らしい。何かの雑学で読んだけど、地上とスカイツリーの展望台では、展望台にいるほうが少しだけ時間が早く流れるらしい。もっとも、ものすごく微細な話だけど。

でも、時間の差というのは現実でも実際に発生するわけで、そうなると、僕たちと那由の世界の間に何らかの理由で時間差が生じている、というのもあながち不思議ではないわけだ。

そんなことを思いながら、僕はまんじりともせずに夜を過ごす。

これからどうしようか。

あの勢いだと、大学はやめさせられそうだし、しばらく実家に軟禁されそうだ。脱出するなら今しかないかもしれない。

といって、行くあてはない。僕は今完全に居場所を失っている。だから、動く気力も出てこない。

「那由に、会いたいな」

いつの間にか、彼女の存在は僕にとってなくてはならないものになっている。神様ってやつは、ほんとに余計なことしかしない。でも、今の僕にはその余計なものが必要なんだ。

「そうか、これが信仰は人を救うってやつなのかな」

宗教など信じてなかったけど、突然得心がいってしまった。とはいえ、無闇に宗教を信じる気はなくて、僕が信じるのは那由神様のみだけど。

眠れないので、いろいろと思考を整理していた。

神様って何なんだろう。歴史上、神という存在は山ほどいた。それはほとんどが神話や伝説上のものだし、何らかの宗教に引き継がれたりしている。おそらくは世界最大、といわれるあの宗教ですら、物理的な神など存在したことはない。すべては、伝承や創造、空想の物語だ。

でも、もしかして。

那由のような存在が過去のだれかにコンタクトをとった、なんてことがあったとしたらどうだろう。それは、抽象的な存在として、神足りえたかもしれない。

そして、特定の人物にしか見えない、となれば、それは神の申し子や代理人として、力を持ったかもしれない。

「……眉唾だな」

それを肯定すれば、現代に存在するあまたのカルト教団の存在理由も説明できてしまうかもしれない。それはそれでなんだかいやだ。那由が汚されるような気がする。

常人には理解できない存在。それが神であり、それを見るものは狂人、と言われても仕方ないのかもしれない。現実に、僕はこうして病室に閉じ込められている。

考えれば考えるほどわからなくなってきて、やっぱり那由はただの幻覚じゃないだろうか、という強迫観念めいたものが僕を襲う。

何が真実か、何がリアルか、わからなくなってきていた。

そんな考えに押し流されるように、僕はいつしか疲れ果てて眠りに落ちていた。

＊

「おはよう！　ショウ君！」

そんな声で、僕は飛び起きた。

「な、那由！」

「やっ！」

いつもの那由の笑顔があった。

「え？　ここ、病室だよな？」

慌てて周囲を見渡す。もしかして全部夢だったのか、と思ったが、そうじゃなかった。ここは紛れもなくあの病室だ。

「いやあ、なんかごめんね。私のせいでこんなとこに幽閉されちゃって」

「いや、まあ、幽閉っていうわけでもないけど。で、どこから入ってきたんだよ、ってのは愚問だったな」

「愚問だね。私、神様だから」

そして、しばらくの沈黙があった。

那由にまた会えたのは嬉しい。でも、だからこそ僕は確認しなくてはいけなかった。

「なあ、那由」

「ん？」

傍らに座り、ベッドに両肘をついて僕をのぞき込んでくる那由。

「君は、他の人には見えてない、のか？」

「みたいだね。原理も理由もわからないんだけど、私の声が聞こえたのはキミだけだったんだよ、ショウ君。だから、私はキミの元に来るの。だって、この世界で私のことを知ってるのは、ショウ君だけなんだもの」

「それは……もしかして、君は俺が創り出した幻覚、なのか？」

核心を訊いた。もし那由が幻覚なら、僕は幻覚に向かって、お前は幻覚なのか？と聞いていることになる。それがどれほど無意味なことか、というのも理解しながら。

「それこそ、私にもわかんないな。ねえ、神様ってね、信仰する人がいなくなると消滅するんだよ？　知ってる？」

「ん？　えっと、どういうことだ？」

「つまり、みんなに忘れられてしまったら、それはもう神様として存在できないってこと。まあ、書物なんかに名前が残ったとしても、信仰の対象じゃない神様には、なにも動かすことはできないんだよ」

「なるほど？」

ちょっと飲み込みにくかったが、少し考えると理解できた。

信仰が途絶えた神殿なんかは、見るも無残に朽ちていくし、信仰していた団体が潰えたなら、その神様の名をもって何かを行使する人がいなくなる。つまり、神様は消えるんだ。

「だからね、ショウ君が今私と会話していることは、この世界における私の存在意義そのものなんだよ。わかるかな」

「つまり俺が那由を感じられなくなったら、那由はこの世界で消える、って事か？」

「ま、そうだね。だって、誰にも認知されない世界で、存在する理由ってある？　それは、存在していても存在していないのと同じだよ。私はね、そこにいる理由が欲しいんだ」

向こうの世界には、もうないからさ、と、那由は小声で付け加えた。

「それなら、俺だってそうかもな。この世界での存在意義とか、居場所とか、ないから」

両親との折り合いは最悪だし、僕のやりたいことを否定し続けられてきた。僕は何のために生きてるのか、というのはいつも感じていた。

ようやく勝ち取った一人暮らしも、また奪われてしまったんだ。

「じゃあ、私がショウ君を必要としている、っていうのでいいじゃない。それじゃ、ダメかな」

「いや……まあ、それでいい」

でも、彼女が幻覚なら、やはり僕には何もないのかもしれない。

「そうだ、今、君は確実にここにいる。俺の主治医に会ってくれよ。こんなにはっきり姿も見えて声も聞こえる。客観的に見て、確実にここにいるって感じられるんだ。幻覚なわけ、ないだろ」

昨日、那由が映像に映っていない、というのを突きつけられた。その映像も見た。その上でも、今ここにいる那由が幻覚には思えない。

「いいけど、それでもやっぱり、ってなったら、ショウ君はどうするの？」

「どうもしない。だって那由はここにいる。だったら、俺は那由の存在を選ぶさ。ケリをつけたいだけなんだ」

「そっか、わかった。いいよ」

その時の那由の表情は、よく見えなかった。慈愛の笑みにも見えたし、諦念の笑みにも見えた。

他愛のない話をしていた。

那由が見たいもの、食べたいもの、経験したいもの、そんな話であふれていた。

それらの中には、この世界にいる僕ですらまだまだ未知のものもあった。

この世は未知であふれていた。頭ではわかっていたが、那由がそれを話すと、それはもっと身近なものに感じられたし、僕も一緒に見てみたい、食べてみたい、体験してみたい、と思えた。

ほどなく、主治医巡回の時間が来た。

医者が病室の扉をノックして、開ける。

何事もないような顔で、入ってくる。

「どうだね、翔君。変わりはあるかね？」

鷹揚《おうよう》に尋ねてくる医者に、僕は言った。

「ええ、ほら、ここに那由がいます」

ベッドサイドに座って、僕と同じように医者の方を向いて笑顔を振りまいている那由を指した。

「んん？」

しかし、医者は怪訝な表情をする。

「翔君、君は今ここに、その女の子がいる、というのかね」

「いますよー」

那由はそれに手を振りながら明るく返事をしている。はっきりと、誰にでも聞こえる声だ。

でも、医者も、後ろについている看護師も、全く反応しない。

「います。ここに。見えませんか」

僕もはっきりとそう伝えた。医者は、憐《あわれ》みの表情を浮かべて首を振る。

「だめか……どうするものかな。幻覚を見る病気はたくさんあるんだがね、君の場合は、他の検査項目で当てはまらないことが多すぎて、どうにも診断に決め手がない」

「ということは、先生には那由は見えてないんですね？」

「もちろんだ。私はまともだからね」

その言葉の裏に、お前は異常なんだ、という言葉が隠れていた。

「まとも、か。正常と異常の区別って、どこで区切るんでしょうね」

「翔君の場合は、その幻覚さえなくなれば正常といえるね」

「幻覚、ね」

ベッドの上に半身を起こしている僕の手に、那由がそっと手を添えた。少しひんやりするけど、そこには彼女の感触がしっかりある。

幻触なのか？

いや、もうそれでもいいんだ。僕の目の前に那由がいる。それだけで今は充分だ。

「あとでまたお父さんにご相談しておくよ。薬も追加しておくので、しっかり飲むんだよ。では、また後ほど」

医者は面倒くさそうに僕との会話を断ち切って、病室を出ていった。

「那由」

「うん？」

「逃げるぞ」

僕は那由とともにここを出る決意をした。ここは二階だ。窓から出られなくはない。

夜を待って抜け出すことに決めた。

「じゃあ、それまで、お話、しようか」

那由がそんなことを言い出した。

「今日は、少しゆっくりできるから。私の世界のこと、私たちのこと、私がわかってることだけになるけど、ね」

「それは、ものすごく興味があるね」

僕が聞きたかった那由のこと。

それを聞いているうちに、きっとあっという間に夜が来るだろうな。

第七章　巡る世界　――あと5日と10時間／35日経過

【那由】


「守る価値？」

シギは私の問いに、ため息をつきながら答えた。

「それを聞いてるあなた自身の中に、もう答えはあるんじゃなくて？」

「そうか、そうだね」

守る価値など、ないのだ。

もう壊れていく世界。壊れることが決まっている世界。

そんな世界に産み落とされてしまった私たち。

ただ、終末の日まで、惰性的にこの『中』の世界を管理するためだけに。

そして、『中』を作った人たちはもう一人も残っていないのに。

「でも、じゃあ、どうして私たちは生まれたの？」

「それこそ、知る術はないわ。想像するしかできないじゃない」

「シギの想像を聞かせてよ」

シギは私より知識と情報を持ってる。彼女の口からその意見を聞きたかった。

「もったいなかったんじゃないかな」

「もったいない？」

意外な言葉が出た。

「私たちの先人は、膨大な技術と時間と熱量をもって、この球体を作ったんだと思うの。世界は滅びに向かい、アレの頻度は増えて、統治ＡＩはこの世界の滅びの時を算出した。その時点で、おそらく先人たちは文明の滅亡を覚悟したのよ。でも、あなたならわかるでしょう？　その『中』には別の文明が芽生えた。ともに滅ぶとわかっていても、いえ、だからこそ、最後まで管理させようって思ったんじゃないかしら」

「……そうか。もったいない、か」

シギの言葉を聞いているうちに腑《ふ》に落ちた。

この禁書庫で知った、おそらくは『過去のこの世界の情報』は、驚くほど『中』の世界に似ていた。だから、私は『中』に惹かれた。

シギの言葉を正しいと仮定すれば、この球の『中』は、私たち先人のノスタルジーなんだ。

「そして『中』から帰ってこない人も、たくさんいたんじゃないかしら。むろん、こっちの身体は生身だから、全く帰ってこないなら衰弱して死んでしまうでしょう。何らかの技術で維持したとしても限界がある。行ったり帰ったりしながら、でも現実には目を向けなくなった。そんなところかもしれないわね」

「じゃあ、みんなも……」

いなくなったみんなも、そうなんだろうか。

「そうかもね。でも、私たちは管理者。先人とは決定的に違う。だから、あの子たちは二度と帰ってこないわ」

そうかもしれない。私だって、シギを説得できれば、もしかするともう帰ってこないかもしれない。

そのためには、少し準備が必要だ。

もう一度、ショウ君に会いに行こう。そして、全部打ち明けて、彼の判断を聞いてみたい。

彼は、私を受け入れてくれるだろうか？

神様の世界を、わかってくれるだろうか？

それから、シギも連れていこう。無理やりにでも。

そのうえで、シギが何を感じるか。

世界はあと五日と少しで終わってしまう。中の世界を長く持たせるためには、そして、ショウ君と同じ時間を過ごすためには、私は長くこちらに滞在できない。あっという間に『中』の時間が過ぎてしまうから。

早く前提条件を作ってしまわないと。

「シギ、私、『中』に入るね。すぐに、戻ってくるから」

「……止める権利を、私は持っていない。でも、あなたが義務を放置するなら、私がそれを引き継ぐからね」

「すぐ帰ってくる、放棄はしないから！」

「じゃあ、好きになさいな。そして、早く気づきなさい。無意味な連鎖にね」

「無意味な、連鎖？」

どういうことだろう。

中の世界が無意味だなんて、私には到底思えない。

シギは頭で考えて全部理解してしまおうとする傾向があるから、きっと『中』に入ってはいけない、を大前提に自分で答えを導き出してしまうんだ。

きっと、シギだって、『中』を知れば考えが変わるよ。

よし、善は急げ。すぐに戻ろう。そして次はシギを連れていく。

時間は、絶対に立ち止まってくれないんだから。

【翔】


夜を待って、那由と一緒に病院を抜け出した。

それまでの間に、那由の世界の話を少し聞いた。まだよく呑《の》み込めないけれど、かなり荒廃した世界で、人類と呼べる文明はもう滅んでいるといってよい感じだった。

那由たちは、そこで『管理者』という存在として生きている、と。

僕たちが住んでいるこの世界のことを『中』と呼んでいるということも聞いた。

「中の世界は、すごいんだよ。私たちがデータでしか知らない景色や色がたくさんある。太陽はこんなに明るくて、あったかいんだって。知識だけではやっぱりわからなかった」

昼間はそんなことを言って、窓際でぬくぬくと日向ぼっこしていた。そんな那由を見つめていると、僕も時間さえ忘れてしまっていた。

「夜の涼しい風も、私の世界では体感できないものなんだよ。外界と遮断されてるからね。それに、あの月」

病院を抜け出して、夜道を急ぎながらも、那由はいろいろな発見や喜びを口にする。

「初めて見たよ。写真でしか見たことがないもん」

「そうか、那由のとこにも太陽はあって、月もあるんだな」

「ある、らしいね。夜はやっぱり雲に覆われて何も見えないけど」

ずっとそんな天気だなんて、想像もつかないけど、月がある、ということは、天体配置が同じってことだよな。

那由の話を総合していくと、ちょっとゾッとする想像が成り立っていくんだけど、そこはまだ置いておこう。

那由の世界が著しい荒廃の世界。いわゆる、ポストアポカリプス的な世界なのかな、というのがだんだんと理解できてきた。

ただ、想像はできない。

外界と遮断された管理棟という密室で、生まれたときから『管理者』として、この『中の世界』を守っている、という。

理解とは別の次元の話だ。

「だからね、私は生まれてから自然の直射日光も受けてないし、風のそよぎすら知らなかった。この世界に初めて来たときは、もう感動しかなかったよ。そして、まさか、その日に私の声が聞こえる人に会うなんてね」

「あ、初めて来たのが、あの日なのか」

あの屋上で僕と那由が出会った日。あれが、那由がここに初めて来た日だと、今知った。

「そうだよ。たくさん人がいてびっくりしたけど、頑張って声かけてみたんだ。でも、だーれも気づいてくれない。ああ、時空か次元が異なるのかな、って半ばあきらめてた。そしたらね、なんかピーンと来て、ショウ君を見つけた」

「ピーンと？」

「うん。私の世界ではね、管理者同士は一定の距離に近づくとお互いの気配を知ることができるんだけどね。なんか、それに似た感じだった。上手く言えないけど」

「ふーん？」

神様なりの第六感みたいなものなのかな。

いや、確かにこの世界を創った人々の末裔なら、彼女は神様といっていい立場かもしれないけど、でも、歴史をさかのぼっていくと、僕たち人類と同じような文明を持っていた人々なんだろうな、と思う。

そこが、少しぞっとしていた。

彼女の言うことがすべて真実だ、と仮定すると、この『中の世界』は人工物ということになる。

じゃあ、僕たちはいったい何なんだろう。

僕たちが紡いできた歴史、この星に生まれた生命、空の向こうにあるとされる果てしない宇宙空間。

　これも全部、人工物なのか？

　ありえない、と思う。そんなことが可能なのか？

　けど、あり得ないことなんてことはあり得ない、という言葉もある。

　人間の想像力なんてちっぽけなもので、実際この世界で起こっているすべてのことわりを解明できてるわけじゃない。

　それなら、いつもやっている思考遊戯の一種としては面白いし、那由が不可思議な存在であることはもう疑いようがないのだから。

「それでね。少しお願いがあるんだ」

「なに？」

「ショウ君が創ってる世界が、みたいな」

　僕の創っている世界。それは高校のころからコツコツと作っているＶＲ空間だ。データはクラウドに残しているのでほぼ無事だが、作業環境が今はない。

「そうか、よし、じゃあちょっと戻ってみよう」

「戻る？」

「俺の家さ。荷物全部放り出されてる可能性もあるけど」

僕はあの部屋へ戻ってみることにした。戻るなら今夜中がいい。明日になって脱走がばれたら、また面倒なことになりそうだし、真っ先にあの部屋にいるか調べられそうだから。

財布に残っていたなけなしのお金をはたいてタクシーを使い、僕たちは部屋へ戻った。幸いカギはまだ使えたし、意外にも中はそのままだった。

「親父《おやじ》のやつ、はったりだったのかな。それとも、俺が逃げたから追っかけるほうが先になったのか」

作業環境もそのまま残っていた。機材を運び出してもいいけど、どうやって運ぶか、どこに置くか。しばらく考える。

そして、行き当たりばったりに思いついた。

「そうだ、那由、この世界を見たいって言ってたよな？」

「うん、そうだね。見てみたいよ」

「じゃあ、旅に出ないか？　俺は親から逃げたいし、居場所もない。キャンピングカーでも借りて、那由が行きたいところへ行こうじゃないか。機材もそこに積めるし、俺の世界も見てもらえる」

「キャンピングカー？　なんかよくわからないけど、そうだね、ショウ君と中の世界を見て回れるなら、魅力的だね。でも」

　那由は、少し顔を曇らせる。

「いいのかな、私だけそんなの」

「私だけ？」

「少し話したよね。私の世界にはもう一人、私みたいな子がいるの。でもね、その子はこの世界に否定的だし、一緒に滅ぶことに肯定的なんだ。説得はしてるんだけどね、この世界で生きたら、って」

「聞き入れてくれないのか？」

「うん。ダメなんだ……とっつきにくい子ではあるんだけど、悪い子じゃないんだよね。真面目で優秀だし、世界と運命を共にする意味なんて、もうないのに」

　もう一人の神様、か。少し興味がある。

「じゃあ、その子も呼んできたらどうだ？　一緒に世界をめぐるってのは？」

　言ってから、自分でも驚いた。なんて提案をするんだ。

　那由と二人で、って言ってたのに。那由が気を悪くしたんじゃないか、と、少し後悔したが、那由の反応は違った。

「あ、それ、私も思ってたんだ。だからショウ君にお願いしようかなって。この世界を実際に見たら、もしかすると私の言ってることをわかってくれるかも！」

乗り気だった。

少しほっとしたと同時に、大丈夫かな、という不安も頭をよぎるが、言ってしまったことはもう戻らない。

「よし……じゃあ、まず車を借りてくる。二十四時間やってるとこもあるだろ。機材を積み込んで、今夜中に出てしまいたいな。那由、その子連れてこれるか？」

「やってみる。準備、ショウ君だけでできる？」

「ああ、やっとくよ。えーっと、まず店を探さないとな」

ネットで二十四時間レンタルできそうな店を探す。キャンピングカーなんて特殊な車両はないかと思ったけど、あった。あるもんだ。

「あったよ、那……あれ」

もういなかった。

いつものごとく、忽然《こつぜん》と消えていた。

「もう慣れたけど、声くらいかけていってくれねえかなあ」

とりあえず、那由がいつ戻ってきてもいいように、準備に取り掛かることにした。

どんな旅になるだろう。

僕は想像もできないその旅路に興奮と、そして、ほんの少しの不安を感じていた。

【那由】


「シギ！　大ニュース！　『中』で世界を見て回るよ！　シギもおいでよ！」

私はシギをつかまえるやいなや、そう叫んでいた。

我ながら、ちょっとテンションが高かったかな、と思う。シギも、ちょっと面食らったような顔をしていた。表情があまりない彼女にしては珍しい。

「何を寝ぼけたことを言ってるの？　作り物を見て回ってどうしようっていうの」

「だから！　その、シギが作り物って言ってバカにしてるものを、一度実際に見てほしいんだってば！」

あれを見れば、きっとシギだって心が動くよ。

だって、だって、私にだって感情が生まれたんだもの。シギにだって、きっと何かが生まれる。

私たち『管理者』は、生まれながらにして『管理者』だった。

気が付けばそこにいて、当たり前のようになすべきことを知っていて、ただ毎日黙々とそれをこなしていただけ。

でも、毎日いろいろ経験していると、だんだん変わってくる。

まず『思考』が生まれた。日々の任務をこなしながら、いろいろ考えるようになった。その考えがどこから来るのかよくわからないけど、経験を積めば積むほど、新しい何かが頭の中に生まれてくる。

それは徐々に『知識』になっていき、『知識』は『疑問』を生むようになった。それらが生まれていく過程や時期は人によってさまざまだったみたいで、私はたぶん遅かった。でも、『疑問』が『欲求』になって、禁書庫に出入りするようになってからは一気に変わったという自覚がある。そう、『中』を知ったことで、そしてショウ君を見つけたことで私には『感情』が生まれた。

劇的だった。

ずっと灰色の空を見て生きてきた。

ずっと揺れる大地の上で生きてきた。

ずっと与えられた閉塞した世界で生きてきた。

いや、生かされてきていた。

それはモノクロームの世界。私は、きっと色というものを知らなかった。

でもね、あの日から、私の世界には色がついたんだ。

見るものすべてが新鮮で、驚きで、楽しくて、全部が最高で最高なんだ。

だから、シギにもあれを見てほしい。そうしたら、きっと変わる。人は、変わることができるんだ。

「ねえ、お願い。一度でもいいから、私と一緒に『中』へ行こう。それで何も変わらなかったら、私も諦めるから」

「諦める？　何を諦めるのかしら」

「ん……えっと、それは」

　思わず言いよどんだ。

　私がショウ君とその世界を諦める、なんて選択肢はたぶんない。ここで諦めるのは、シギの理解を得ること、だろう。それは、シギを諦める、と同義だ。さすがに言えなかった。

「ま、いいわ。一つ条件があるの」

「え？　なに？　私ができることなら」

　シギが譲歩してきた。これはめったにないこと。この子はずっと超然としていて、自らの意思を曲げることはなかった。他者に強要もしない代わりに、自分も曲げない子だから。

「簡単よ。あなたの執務室から『中』へ行かせてもらえるかしら？」

「へ？　それだけ？」

「そう、それだけ」

もっと難しいこと言われるかと思ったけど、それくらいならどうってことない。

「あ、でも、道具が……」

『中』の世界へ干渉するためには、けっこう大掛かりな装置がいる。

具体的には、脳波をシンクロさせて『中』へ自分のアバターともいえる存在を描画させるんだけど、そのためのヘッドギアと複雑な配線が内蔵されているベッドみたいなケースがいるんだ。実はこれは禁書庫の奥の倉庫にあった。がんばって運んだんだけど、確かまだひとつあったはず。

「よし、一緒に運ぼうか、手伝うよ」

二人ならそんなに大変じゃない。あの時はひとりで、しかもこっそり運んだから大変だったけど。

毎日同じことの繰り返ししかないこの場所で、シギと一緒に禁忌の道具を運んでいる。なんだかちょっと楽しい。

誰かと何かをすることが楽しいって知ったのは、ショウ君と出会ってからだけど、シギとも楽しめるんだ。

これは発見だよ。

誰かと何かを共同でするって、こんなにワクワクするんだ。

「さて、ちょっと狭くなっちゃったけど何とか置けたね。ここからのセッティングが面倒なんだよね」

「大丈夫よ。だいたい知ってるから」

「へ？」

シギはてきぱきと配線接続をやってのける。何それ、私よりよっぽど詳しい。

さすが、真っ先に禁を破っていた、というだけのことはあるんだけど、だったら、どうして『中』にも真っ先に入らなかったんだろう。

手際よくはやったけど、それでもそこそこ時間はかかっちゃった。こっちに戻ってから約四時間くらいは経ってる。時間差はまだそれほど大きくしてないけど、それでもショウ君の方では数日は経ってるかな。待たせちゃったけど、時間軸をそろえるとあっという間にこっちが滅んじゃうし、かといってあまりに差をつけてしまうと、こっちでのんびりしてるうちにショウ君に会えなくなってしまいかねないし。早くずっと『中』にいられるようになりたい。そうすれば、そんなの気にしなくていい。

そのために引っ掛かってるのがシギの存在だから、シギが私と同じ気持ちになってくれれば……

「よし、じゃあ入ろっか。ショウ君の座標探すからね」

彼の居場所を探しながら、シギも一緒に来るので時間差設定を最大にする。一秒一日だ。

「その、ショウ君っていうのがあなたを変えたんだね」

「そうだよ。きっと、シギも変わるよ。そしたら」

そしたら、どうなるんだろう。シギがショウ君を気に入って、ショウ君もシギを気に入ったら……

知らない感情が、私の心の中をドンドン叩いている。

これは、なんだろう。

いいや。わからないことはわからない。そのうちわかることもある。

そうだよ、知りたいことがあるから、私はまだこの世界に存在し続けたいんだ。

「見つけた。準備はいい？　シギ」

「いいわよ。いつでも」

私たちは、『中』へのダイブを開始する。二人同時は初めてだな。

どうなるんだろ。

そんなことを思っている一瞬に、私の意識は深い闇から光へと落ちていった。


【翔】

那由がいったん戻る、といって消えてから四日ほどたっている。

僕はとりあえず必要な機材を積んで、家を離れた。

僕がどこにいても那由にはわかるらしい、というのがこの前確認できたので、躊躇せず離れることができたし、じっとしているのももったいないので、海の綺麗な南紀《なんき》方面へ車を走らせていた。

携帯は解約して、新しい番号にした。これでしばらく、めんどくさい人たちとの接点を断てるだろう。

レンタカーは一か月ほど借りてもまだまだ余裕で資金は余る。

那由がくれた奇跡は、那由のために使う。惜しみはしないけど、自分の稼ぎじゃないところにはまだなんとなくコンプレックスを感じてしまう。

那由は僕にとってどういう存在なんだろう。

他の人に見えない神様。それは、ずっとそばに置いてていい存在なんだろうか。

そんなことも考えながら、那由が来るのを待っていた。

「いい青さだな。さすがに、神戸の海とは違う」

和歌山の南へ下ってくると、海の色も鮮やかなものだ。ここらは宿も温泉も多いし、近場でこの世界の良さを満喫するには手ごろだろう。

僕は海がよく見える場所に車を停《と》めて、眼前に広がる水平線を眺めながら、地球の大きさを感じていた。

「那由に、早く見せてやりたい」

「もう見てるよ！　すごいね！　真っ青！」

「うわ！」

「やっ！　ショウ君！」

いつの間にか後ろにいた。相変わらず唐突に現れる。

僕が強く会いたいと願うと現れるような気すらする。そんなことを言うと、ほら、やっぱり幻覚だからだ、と医者や両親に言われそうだが。

そして、ふと、視線を那由の後ろにやると、もう一人見知らぬ少女が立っていた。

那由より少し大人びて見えるものの、やはり十代後半くらいだろうか。

まあ、僕も十九歳だ。ほぼ同い年と考えて問題なさそうだし、神様の年齢を気にするってそもそもシュールだ。

那由が快活な白い妖精だとすると、この子はたおやかで理知的な白い彫像のようなイメージだ。

「この子、シギ、だよ。連れてきた」

「よろしく」

那由に紹介されたシギは、短くそう言った。口調は明確だが、那由のようなとっつきやすさはなさそうだ。大丈夫かな。

「ああ、よろしく。三枝翔です」

シギは小さくうなずく。やりにくいな。

「ねえ、シギ、見えてる？　真っ青な海と真っ青な空だよ！　風も気持ちよくって、なんだろうこの香り、前に見た海では感じなかったな！」

「それは潮の匂いさ。ここは海が近いからな」

「へえ？　海って匂いがするんだ。すごいね！　シギ、わかる？」

那由はシギにこの景色の魅力を全身で語っている。シギはうなずいてはいるが、那由のような大げさな反応がなくて、何を考え、どう思ってるかは外からは見て取れない。

「ところで、二人とも服はずっとそれなのかな」

二人とも、同じような格好だ。白いワンピース風の服だが、外を歩くには穏当ではない。他の人に見えないといっても、僕が気になるし、もし万が一誰かに見えたときの対応がまずい。

「服か。気にしたことなかったね。脱いだ方がいい？」

「いや！　ちがうそうじゃなくて！」

那由と生きてる世界が違うのはわかるが、羞恥心とかはないのか？　いや、そうか、コミュニティや社会があるからこそ育つ感情っていうのもあるのかもしれないな。

「服、買いに行くか。といっても、二人が見えないなら俺だけで女性専門店に入るのはちょっとまずい……」

検索してみると、近くに大手フランチャイズの量販店があった。そこなら極力怪しまれずに済むだろう。言動や行動には気をつけなくてはならないが。

「近くに店があるし、シギさんも、それでいいかい?」

「お任せします」

やはり会話は短い。

二人を車の後部に乗せて、まずは店に向かうことにした。

「うわあ、すごい。部屋だねこれ。部屋ごと動けるんだ?」

「キャンピングカーって言って、移動しながら宿泊できるんだ。便利だろ?」

「何だろ、わくわくするねえ。シギは? シギはどうなの?」

ひとしきり車内をうろうろして備品を見て回りながら、那由はシギに尋ねる。

「楽しんでいるわよ」

「ほんとに?」

「ええ」

いつもこんな会話なんだろうか。

那由の話では、もう彼女の世界にはこの二人しかいない、という。

それなら、もう少しお互いに共感して助け合って生きるものじゃないかと思うし、そうじゃなくても、たった二人なら必然として接点は深まりそうなものだが、那由から聞くには、どうもこの二人はそうではないらしい。

那由が天真爛漫《らんまん》でなんにでも興味と感動を示すのに対して、シギはすべてを諦めているような感じがある。感情の動きがほとんど見えない。

「その、シギ、って、変わった名前だよな」

話題がないので、無理やり絞り出してみる。こんな時、コミュ障はつらい。

那由、はまだ普通にある名前の音列だけど、シギ、はあまり聞かない。

「そうかしら。私たちの世界ではこんなものよ」

初めて少し長い回答があった。

「その、他にはどんな？」

「リョウ、スウ、ウギ、ガシャ、サイ、ゴク、セイ、カン、コウ、ジョウ、シジョ、みんないなくなっちゃった」

その問いには那由が答えた。十三人いた、って言ってたな。みんな変わった名前だ。

ここに並ぶと、シギも普通に見える。

「みんな、多分この世界にいるわ」

「え、そうなのか？」

初耳だ。那由も多分そのことは言ってなかった。

「那由、ほんとなのか？」

「私は知らなかったけど、でもね、この世界を知った今ならそうだろうな、って思うよ。だって、ここはすごいもの」

てことは、他に十一人の神様がこの世界にいるっていうのか？

「じゃあ、その神様が見える俺みたいなのが、他にもいるのかな」

それなら、これは幻覚じゃないって言える。もしいるなら、会ってみたい。

「それはどうかしらね。私たちとあなたたちは時空が違う。昔は普通に触れ合えたらしいけど、今はプロテクトがかかってるから、一方的に私たちから眺めることしかできないはずなんだけど」

シギが話し始めた。この話題は、どうやらシギの興味の範疇《はんちゅう》にあるらしい。反応が今までと違う。こちらとしても、知りたい話だから都合がいい。

話題ができた気がした。少し気が楽になる。

「そんなプロテクト初耳だよ！」

「言ってないもの」

那由が驚いている。この二人の間にもどうやら情報の共有がないようだ。神様の世界って、そういうものなのかな。

俄然興味深くなってきた。

この世界を紹介しよう、と意気込んでいたし、もちろん那由にはそのつもりだが、併せて、シギから向こうの世界の話を聞きだす方が有用になりそうな気がしてきた。

そして、シギの興味もそこにあるなら、一石二鳥どころか三鳥だ。

ほどなく店につく。ここなら何かあるし、一緒に選んでいても怪しまれないだろう。周りからこの二人が見えない中、試着とかしたらどう見えてるのか気になるけど、他の人には上手く処理されるんだろうな、と思うくらいには、多分僕の思考もおかしくなっている。

そう、那由が幻覚だ、と言われてから少しだけ学んだ。

人の脳は、そこにありもしないものをあるように感じることがある、と。那由がそうだとは思わない。でも、那由が他の人に見えない、というのは、もしかすると逆もあるのかもしれない。

つまり、そこにあるものが見えないと感じる、ということも。

そういえば昔よく読んでいた漫画で、その帽子をかぶっていると、そこにいても誰にも気に留められなくなる、なんていう秘密道具があったな。そういう感じなのかもしれない。

だから、深く考えるのをやめた。

ただ、僕の言動や行動が奇異に見えないように、少し注意するだけだ。

「服がいっぱい！　っていうか、こんなにたくさんの服どうするの？」

「みんないろいろ買ってコーディネートするんだよ。ファッションっていうんだ」

「へえ。服なんて一着でよさそうだけどねえ」

　那由は物珍しそうにきょろきょろと店内を走り回っている。シギは、静かにいくつかの服を手に取っている。対照的だ。

「その、好きなもの選んでいいから。那由が、奇跡を起こしてくれたから」

「那由が？　そうか、あの子は時間と運命操作の担当だものね」

　また新しい情報が来た。

「シギは、何の担当なんだ？」

「私は……そうね、時の掃除屋、かしら」

「時の掃除屋？」

「那由から聞いているでしょう？　私たちの世界は、あと五日と半日ほどで滅びる。私の役目は、それを遅滞なく執行し、すべての連鎖を断つこと、かしらね。もっとも、それは自分で自分に課しただけだけど」

　那由が言っていた。シギはこの世界に関わることをよく思っていない、と。今の言葉からも、『絶対に世界を終わらせる』という意思が垣間《かいま》見える。

シギは、魔王か何かなのか？

「その、本来の役目っていうのは？　那由みたいな担当があるの？」

店舗の中だし人の目も多いので、僕は小声でシギと会話を続ける。

「もともとは、運用史の編纂《へんさん》よ。だから、私はたぶん誰よりもあの世界の歴史に詳しくなってしまった」

「運用史……ということは、君はこの世界の始まりからのことを知っている？」

「知っている、ともいえるし、知らないともいえるわ。私が知りえたものも、ほんの断片でしかない。すべての資料が残っているわけではなくてね」

「そうなのか」

興味深い話が出てきた。

なるほど、そういう役目を担っている、と言われれば、まさに理知的で頭脳明晰《めいせき》な雰囲気がマッチする。

「何コソコソお話してるのかな！　ねえショウ君、この服どうやって着るの⁉」

「あ、ああ、ごめん。ほら、そこの写真とか見てみろよ。上下のコーディネートの参考になるだろ。気になるのがあったら試着してみるといい」

那由に引っ張られて、いくつか服を一緒に選んで試着室へ連れていく。

ふと気になったけど、この場合周囲にはどう見えてるんだろう。僕が服を試着室に放り込んで、自分は外にいるままカーテンを閉めてるんじゃないだろうか。それ、変なやつだろ……

あまり長居をしていると、また通報されかねない。できるだけコソコソと、迅速に買い物を済ませたい。見えない、ということは、そういう懸念も生まれるということだ。神様の不思議力で上手く処理されていればいいけど、あの防犯カメラ映像を見ると、あまり期待はできない。

もし人間の脳の認識まで歪《ゆが》められるなら、それはこの状況の中でとても便利であるが、反面、神様が悪意を持った時、人は簡単に狂わされる、ということでもある。

いや、そもそも、人は狂うものなのかもしれない。

世の中を見ていると、なんとなくそこは納得してしまいそうになる。

みんな生きにくい。生まれながらの脳の機能障害や、後天的な精神疾患なんて、日常的に耳にする。

統計ではうつ病の生涯有病率は十五人に一人。統合失調症は百人に一人、何らかの精神疾患においては五人に一人、なんて数字もあるらしい。

僕も病んでいたので、そういうのを調べたことがある。

だから、医者から見れば別に珍しいことでもないのかもしれない。でも、僕にとっては彼女たちが何であろうが現実だ。もうそこに悩むのはやめた。

「ショウ君、これでいいのかな」

ばさ、っとカーテンが開いて着替え終わった那由が出てくる。

普通の服装が、むしろ新鮮にさえ感じるし、落ち着いた色のブラウスとロングスカートは、真っ白な那由を引き立てるかのように似合っていた。

「い、いいんじゃないかな」

「そう？　私もよくわかんないんだけど、あの写真みたいな感じだからいいかなって」

店内のコーディネート写真が、まるで那由のためにあるのかな、というくらい那由に似合っていた。

「じゃあ、その系統とサイズでいくつか買っておこうか。あ……」

下着とか、持ってるのかな、と思いついたが、さすがにちょっと言い出せない。

何か言い回しはないか、と無い知恵を絞る。

「え、ええと、那由、他に着替えは持ってる？」

「え？　ないよ。そもそもあっちの世界で着替えることなんてほとんどないし」

マジか。神様の世界の衛生状態はどうなってるんだ。

「じゃ、じゃあ、肌着とか、いるなら買っとけよ」

僕はそのコーナーの方だけ指さしておいた。

神様と僕たちの常識の範疇がよくわからない。整合することもあれば、全く会話が通じないようなこともある。

これまでも那由が妙に難しいことを知っていると思ったら、ものすごく普通のことを知らない、なんてことがあった。

シギはどうなんだろう。

ふと、彼女の方を見ると、彼女は一応数点選んでかごに入れていた。見ている限りは、僕らとあまり変わらない行動に見えるし、那由に比べると知識を持っているようだった。その辺りが運用史という、一応歴史と呼べるものの編纂に関わっている神様、ということなのだろうか。

この旅は、神様の片鱗《へんりん》に触れる旅になりそうだった。

＊

キャンピングカーなので宿に泊まる必要はないが、せっかくの和歌山なので温泉宿のひとつくらいには泊まりたい、と思った。

今日は那由とシギを迎えての初日。ゆっくりするためにも、と宿を探してみたが、この二人、見えないなら一人分でいいんだろうか？

試しに二人を伴って、ネットで探した空き部屋のある宿に行ってみた。

「部屋が空いてる、って載ってたんですが」

僕の後ろには、さっき買った服に身を包んでいる那由とシギがいる。

こうやって見ると、二人とも絶世の美少女だ。雰囲気が全く正反対だが、道行く男がみんな振り返るレベルだと思う。でも、そんなことは起こっていない。

「おひとり様ですか？　今空いてるのはお二人以上のお部屋なのですけど」

やはり、見えてない。

「二人分払うので、その部屋泊まれます？　あ、いや、三人分払ってもいいので、食事を三人分もらえたりとか」

「はあ？　え、いや、可能ではありますが、三人分、ですか？」

「あ、えっと、僕、大食いなんで……部屋食、ですよね？」

部屋で食べられることも事前に確認していた。これなら、三人分運んでもらっておいて、誰にも見られることなく、ひとりで食べた、ということにして三人で食事を摂れる。

どうにかこうにか予約を取り、訝《いぶか》しまれながらも三人分の夕食を確保した。

けっこういいプランなので、部屋に露天風呂がある。

そもそも彼女たちと同室でないとこの手は使えないんだけど、同室もどうかな、とも思ったりした。ただ、キャンピングカーだって同室には変わらないので、僕が節度を持てば問題ない、ということにした。

「うわあ。これ、全部食べ物？　すごいね！」

那由は運ばれてきた海鮮懐石を見てはしゃいでいる。シギははしゃいだりはしないが、それでも興味深そうに見ている。

「知識では知っているけど、現物はやっぱり違うわね。いや、現物、じゃないか。知覚がおかしくなりそう」

シギは少し頭を押さえて目をつむる。

「知覚が、ってどういう意味？」

那由が僕の疑問を代弁してくれた。

「いい？　ここは私たちの先人がつくった幻想の世界なのよ。だから、ここにあるものすべて、本来あるものじゃないのよ。だから、現物に見えるけど、リアルのものじゃない。私たちは、電脳空間に侵入しているだけなの」

「でも、美味しいよ？」

「そりゃ、五感すべてがこの世界にリンクしてるんだもの」

「それ、嘘とほんとを区別する意味あるのかな？」

二人の会話を横で聞いているだけの僕ですら、たった数回のやり取りだけなのに震えが来た。

この世界は電脳空間。

シギがはっきりといった。

それって、僕が創っているVR空間の究極系、って意味なのか？

じゃあ、僕はいったいなんだ？

思考遊戯としては面白い。

でも、僕が神様だ、と思い、認めるに至っている二人がそれを話してるとなると、これはリアルだ、ということになる。

僕のリアルが、彼女たちの電脳疑似空間？

今、目の前に映っている部屋、温泉、料理、すべてが疑似的な電気信号の集合体で成り立っている？

そんなことがあり得るんだろうか……

頭が混乱しそうだ。

「あの……」

思わず二人の会話に割って入る。

「ここが、電脳空間って、どういう……」

「あ、ごめんなさい。表現が適当じゃなかったわね。大丈夫よ、あなたはちゃんとここで生きてるし、あなたにとってここは現実よ」

シギはそういう。

ますますわからなくなる。

「ショウ君、難しいことはご飯食べてからにしようよ。今日は、時間たっぷりあるからさ。それに、シギにこのおいしさを堪能《たんのう》してもらわないと、私の計画が進まないよ」

「私はそんなに単純じゃない」

那由のあからさまなたくらみに、シギが不満そうに答えた。

だが、那由はまったく気にしていない様子だ。

「美味しくない？」

「美味しいわよ」

「また食べたくない？」

「食べれるならね」

「よし！」

というような会話を繰り広げている。

彼女たちが食事を楽しめているなら、僕としてはそれでいい。何より、那由は感情表現がわかりやすいし、彼女が喜ぶと僕の心も温かくなる。

シギは、どうだろう。

彼女の感情は表面ではわからない。美味しい、と口では言っている。それも嘘ではないだろうけど、那由とはどうも趣が異なるのだ。

食事が終わり、あとは風呂入って寝るだけ、の時間になる。

部屋で三人、和室の卓を囲んでいた。

「さっきの話の続き、聞いてもいいか？　ここが電脳空間って話」

「いいわよ。ここは、私たちが『中の世界』と呼んでいるところで、それは、巨大な『球《スフィア》』の中に構築されているの。あなたたちはいわば、『球《スフィア》』の住人ってところ」

「ショウ君たちが地球って呼んでる球のことだよ」

シギの言葉に那由が続いた。

「ま、待ってくれ」

あまりのことに思考が追い付かない。

この地球は、彼女たちの世界ではただの『巨大な球』という概念なのか。

じゃあ、この空の向こうにある宇宙って何だ？

外に出れば見えるであろう、星たちは何だ？

今の科学で知ることができた、百数十億光年、という広がりは何だ？

それらが全部その球の中に入ってるというのか？

僕はそのことを問いただした。すると、シギは特に感情を動かされるそぶりもなく言った。

「そうとも言えるし、そうでないともいえるわ。そもそも、宇宙という存在自体があやふやだし、生命という存在はそもそもそこに存在しうるのかしら」

「どういうことだ？」

「ハビタブルゾーン、って、ご存じかしら」

「概要だけなら」

突然天文学の話が出てきた。ということは、彼女たちの世界にも宇宙はある、と考えてもよいだろうけど。那由も言っていた、月がある、と。ならば、天文学も同じような発展の仕方をしているのだろうか。

ハビタブルゾーンは、生命居住可能領域、とも言われ、簡単に言うと、一つの恒星系に所属する惑星の中に、地球と近似の生命が誕生する可能性が高い領域、と言える。これで言うと、太陽系の地球はまさにその位置にあるのだが。

「じゃあ、生命が発生する可能性、その確率については？」

「それは諸説があるけど、相当な奇跡だって話はあるよな」

「充分ね」

シギは言葉をいったんおいて、卓の上のお茶を飲んだ。

「その飲み物美味しいよね」

横で那由が茶々を入れる。那由は那由で、シギの考えが変わるように誘導しようと必死なのだろう。

「ま、それならあなたにもわかるでしょう。生命って、自然発生は絶望的なのよ」

那由の茶々を適当にあしらって、シギはその結論を導き出す。

「わかるけど……」

宇宙に人類以外の生命は存在するか、は永遠のテーマだ。

遭遇してみない限り、その答えは出ない。生命、というのが原始生命ならまだしも、知的生命体、となるとまさに天文学的確率といっていいほど発生は難しい、という研究結果もある。

ただ、その研究結果すら、様々な仮定や、場合によっては憶測が含まれた状態で算出されるものであり、正解はないといっていい。

それを今、神様という存在に突き付けられているんだ。

「じゃあ、僕たちも電脳の中にいるのか？　僕たちは、ただの電子プログラム上の存在に過ぎないっていうのか？」

「私たちから見ればそう。ただ、ものすごくリアルに作られているから、そうと知らなければ、いいえ、知っていても判別は難しいでしょうね」

「そんなばかな！」

僕は思わず声を荒げる。

自分の存在が否定されたかのような恐怖が全身を襲う。

「じゃあ、この星の何十億って人が、全部電子データの集まりなのか？　宇宙は？　宇宙すら、その球の中にあるっていうのか？」

「そうよ」

シギからは一言だけが返ってきた。そこには、原理も構造も理由も、説明はない。ただ、厳然とした肯定だけ。

「なるほど、神様、か」

世界に神話はいくつもある。そして、神様というのは、時に高圧的で無慈悲で、人類のことを虫けらのように踏みつぶす話もある。ノアの箱舟やバベルの塔の話などはまさにこれだ。

シギの今の一言に、そういった神性を感じた。

ああ、この子は神様なんだ、という確信が増してしまった。だから、それは現実なんだろう。

でも、いきなり『おまえは電子データに過ぎない』と言われたら、どうだろう。受け入れがたいし、理性も感情も納得できるものじゃない。普通なら笑い飛ばして終わりだ。

でも、僕は那由を知って、そして、そこからシギを知って、という経緯がある。常人にこの話をすれば、やはり幻覚からの幻聴か妄想だろう、と言われて終わりになる話だろう。下手すりゃ完全に狂ったと思われるかもしれない。

わからなくなってきた。あまりに荒唐無稽と言えるような。でも、神様を信じて、神様の下にこの世界がある、という、よくある従来の信仰の中で示されているものを考えれば、それもなかなかに荒唐無稽な話だと言える。

そう思うと、逆に真実味が増してきた。

それでも腑に落ちないことがある。

空間はどうなってるんだ、ということだ。

宇宙は百五十億光年ほどの広がりが確認されている。この広さは途方もなくて、感覚的にはとらえることができない。

これが事実だとすれば、それが収まっている『球《スフィア》』という存在はどんな大きさなんだ。

「なあ、その『球《スフィア》』ってどれくらいの大きさなのさ?」

僕は二人のどちらともなくに聞いた。

すると那由が答える。

「十メートルくらいかな。金属製の球体でね、いろんなケーブルにつながって宙に浮いてるよ」

「十メートル⁉」

わからない。理解が及ばない。

彼女たちが言う大きさの度量衡がこちらと同じなら、十メートルは正しく十メートルなのか？

となれば、この旅館ひとつの大きさにも満たない球体に、この旅館どころか世界も宇宙も入ってるのか？

「ごめん、少しこの話はやめよう。混乱してきた」

僕は話を切った。

ものすごく知りたいと思っていた、那由の世界とこの世界の話。でも、今は僕の脳が追い付かない。

時間も、尺度も、スケールがおかしくなってしまって整理がつかない。

神様の一メートルは、名称が同じだけで、もしかして僕らの十億光年くらいあるのか？

いったん整理したい、と思った。

「風呂入ってくるわ。君らはこの部屋の露天風呂を使うといい。入ってる間は部屋の鍵を閉めといてくれればいいし」

「お風呂？」

「歴史的遺産ね。興味深いわ」

那由とシギ、それぞれの反応は異なるが、気になることを言った。

「風呂、ないの？　神様の世界は」

「ないよ」

那由がきょとんとした顔で答えた。やっぱり神様の世界の衛生環境はどうなってるんだ。

「まさか生まれてこの方風呂に入ってない、とか……」

那由やシギのように見目がいい女性とうまくかみ合わない。

「水は貴重な資源だから。でも、超音波洗浄があるので困らないのよ」

なるほど。いや、なるほど、じゃないけど、シギが一応の回答をくれた。

世紀末、という世界だとそういうこともあるのかもしれないし、僕らよりはるかに進んだ文明の世界なら、そういう洗浄の仕方もあるのかもしれないが、まるで機械みたいだ。

「でさ、ショウ君」

「なんだ？」

風呂の用意をして部屋を出ようとしたとき、那由に呼び止められた。

「お風呂ってどうやって使うの？」

「はあ？」

文化が異なる、という次元を超えてきたぞ。そうか、風呂を知らない、というのはこういうことになるのか。

「服脱いで湯につかるんだよ」

「全部脱ぐの？」

「そりゃそうだ」

「よし！　わかった！」

「わー！　ここで脱ぐな！　馬鹿者!!」

慌てて部屋を出た。

国によって生活習慣や常識は異なる、というのは頭では理解している。

でも、世界そのものが違うときの価値観は、予想がつかない。なまじ、言葉が普通に通じているだけに、余計そう思う。

「言葉……？」

そうだ、気にしていなかった。那由と僕、そして、シギも。言葉が通じている。

これは、神様だからなのか？　それとも……

【那由】


「お風呂……気持ちいい……」

何これ。溶ける。

ただお湯を張った区画に服を脱いで入るだけなのに、身体の底から何かがしみ込んできて、ほっこりした気持ちになる。

「シギは、これ知ってたの？」

「知識だけではね。体験するのは初めてよ。まあ、いいものね」

珍しい。シギがこの世界のことを良いと言ったのは初めて聞いた気がするよ。

お風呂恐るべしだね。

「ねえ、シギ、どう、かな？」

今のシギなら、もしかしたらいい答えがあるかもしれない。

私と一緒にこの世界に入って、残りの命を全うする。私たちの世界の滅びは避けえないけど、時間軸設定をいじれば、少なくともこっちの世界はまだかなりもつんだ。

そしたら、私たちが潰えるくらいまでは、充分存在できるはず。

「この世界にも良いものがある、はわかってるのよ。それにあなたや、そしておそらくは他の子たちが惹かれたのも。でも、私には私の遂行すべき任務があるわ」

「もう！　堅物なんだから！」

「誉め言葉ね」

シギはまだ考えを変えてないか。

あんなに美味しいものが食べられて、景色がきれいで、こんなに気持ちのいいものがあるのに、どうしてなんだろう。

「シギはどうしてそんなに任務にこだわるの？　もう誰もいないんだよ？　任務の遂行を監督する人だっていない。まあ、それは、私も最近まで何の疑問も持たずにやってたけどさ」

私たちはそれぞれの役割を果たすために生まれた。だから、何の疑念もなかった。私だって。

でも、この世界を知ってから、私は自分でも驚くほど変わった。シギはどうして変わらないんだろう。

たったひとりで、誰に褒められるでもなく、怒られるでもなく、初めに与えられた任務に忠実に生きることに、私は意味があるとは思えないんだけど。

「あーもう！　どうしたらシギの考えが変わるのかな！　もっと美味しいもの食べたらいいのかな！」

「無駄だって言ってるじゃない」

「シギは美味しいもの嫌いなの？　こっちで食べた後、私、いつも食べてる栄養食まずくて吐きそうになったよ！」

「栄養が取れて動き続けられるならそれでいいじゃない」

「むきー！　そんな無味乾燥な人生楽しくない！」

「あなただって、ついこの前までそうだったわよ。変わったわね、ナユ」

「……うん。私は、変わったんだよ」

自覚はある。

私もシギと大差ない感じだった。だからきっと、他の子たちに置いていかれて、こんな最後の時まであの世界にいたんだ。

でも、ぎりぎり、私は変わった。知ってしまった。

シギは、ずっと知ってたのに変わらなかった。

この差は大きいのかもしれない。シギを翻意させるのは並大抵のことじゃないと思っていたけど、それでも何とかなる、と考えていた私は甘かったのかもしれないな。

「シギは、何になりたいの？」

この世界を否定して、あの世界とともに滅んで、シギは何になりたいんだろう。

「神になりたいの」

思ったよりもあっさりと、そして、シギは静かに答えた。

「神様?」

私はショウ君に自分のことを『神様だよ』といった。

でも、シギの言う『神様』は、ニュアンスが違う気がする。私が言ったのは、この世界の外にいる存在だよ、っていう意味。もちろんその言外には『この世界を創った世界の人だよ』という意味もある。でも、シギは?

「神様が世界を創るんだったら、神様が世界の終わりを決めてもいいじゃない。でも、今神様がいないなら、その終わりを決めたものが、世界最後の神様になれるって思わない?」

「そんな理由で? よくわかんないな」

「那由はこの世界を見て、気づかない?」

「なにに?」

シギの言うことが私には理解できない。こんな素晴らしい世界があるなら、終わりが来るまでここで暮らせばいいのに。

「この世界を創ったのが私たちの世界なら、これは罪なのよ」

「罪? なんで?」

「説明すると長くなるし、私の憶測も入ってるからやめとくわ。でも、歴史を学ぶとね、わかるのよ。これは罪だって」

「それじゃさっぱりわかんない！」

やっぱりシギとは上手く意思の疎通ができない。いや、シギが疎通を拒否しているようにさえ見える。そんなにこの世界が嫌なのかな。じゃあ、私たちの滅びに瀕している世界が大事なのかな。

「シギは、あっちの世界が大事なんだ」

「別にどうでもいいわ。私にとって大事なのは、すべての無意味な連鎖に終止符を打つことだから」

「そんなに神様になりたいの⁉」

私は思わず大きな声でシギに詰め寄った。でも、シギの表情も態度も変わらない。

「お風呂気持ちいいじゃん！　食べ物は美味しいし、空気もきれいで、景色もよくて、太陽も見えるんだよ！　何がだめなの！　説明してよ！」

ショウ君もさっき混乱してたけど、私も混乱してきた。

私たちはいったい今どこで何についてどうしようと思って話をしてるんだろう。

ここは、『球《スフィア》』の中。私にはこの世界の存在の理由や経緯は知らないけど、でも、すごく素晴らしい世界だと思う。

私たちの世界はこの外。もう滅びかけている。あと数日のレベルで、なくなるってことになってる。

こっちの世界は、私たちの先人が創った。それは間違いないし、理解している。

でも、いつ？　どうして？　なんのために？

私は知らない。シギは知っているっぽいけど、教えてくれない。

神様か。

神様って何だろう。ショウ君に自分で言っておきながら、私には神様の概念なんてない。たまたま知った知識をなんとなくこんなものかなって使ってみただけ。

だって、信仰なんてもうずいぶん前になくなってるんだもん。ショウ君に言ったように、信仰がなくなれば神様はいなくなる。必要がないから。

じゃあ、シギは誰に覚えておいてもらう神様になるの？

世界が全部なくなったら、シギが最後の神様って、誰が認めるの？

ああ、頭がグルグルしてきた。


【翔】


露天風呂につかりながら、空に光る星を眺めて考える。

この世界と、那由の世界。

何が違っているんだろう。

向こうは滅びかけている。こっちは、まあ、まだ大丈夫なんだろう。

それでも、最近はよく地震があるし、気象も変だ。

日本列島も夏は異常に暑いし、台風も世界的にどんどん強力になっている。

世界情勢も不穏だ。

なんなら、この世界だって滅びる要素に困らない。ある日誰かが何かの拍子に核ミサイルのボタンでも押せば、瞬く間に相互確証破壊が起こりかねない。

それこそ、独裁者の狂気によってボタンが押されるかもしれない、というのは、紛争の絶えない今や可能性のある恐怖といっていい。

那由はここをいい世界だという。でも、それは、たまたま日本という国を見ているからだ、とも言える。世界の各地を見れば、あまりにひどい場所だってたくさんあるし、むしろその方が多いかもしれない。

那由たちの世界はどうだったんだろう。

どうして今、滅びに瀕しているんだろう。

そして、那由の世界と僕の世界、時間の流れに差があるから、こっちの方が長く生きられる、という那由の話。よくよく考えると、何か変だ。

シギの話を総合して信じるとするなら、この世界は電子的に創られた世界だということになる。それは、まさに僕が創ろうとしているVRの世界と根本的な仕組みは同じな気がする。

ここまでリアルな世界が創れるのか、という問題はあるが、それも技術躍進によって時間の問題かもしれないし、フルダイブRPGの実現まで、そう遠くないとも言われている。

ならば、那由やシギは、いわゆるフルダイブでこちらに来ている、と思えば一応の説明はつく。

でも実感がわかない。

この世界が電脳空間なら、僕をはじめとする人類はなんだ？

自我を持つAIなのか？

生体としての機能もすべて電子の海で作られたものなのか？

だったら生命って何なんだ？

そして僕らがまた、電脳の世界を創ったり、人工頭脳を開発したりしている、というのはどういうことなんだ？

世界は、どんどんマイクロ化しているのか？

いや、いや、そうじゃない。僕らは、人類だ。この世界はリアルに存在して、地球は宇宙にあって、宇宙は広大な空間なんだ。それを収める器があるなんて、感覚的に全く分からない。

しかし一方で、この宇宙に生命が自然発生する確率、それは無に等しい、という説だってある。意図的に生み出さなければ存在しない。

仮にそうだとして、つまり僕らが那由たちの世界の人類に創られたとして、では那由たちは自然発生した生命なのだろうか。那由たちだって、創り出された生命なんじゃないのか？

堂々巡りだ。

いや、もしかして、僕がもう狂気の中にいるのか？

もしそうだとしても、狂気に冒されたのなら客観的な判断はできないだろう。

やはり、堂々巡りだ。

「のぼせちまう」

湯につかって延々と考えていると、際限がない。湯あたりする前に上がるとしよう。

結構ゆっくり入ってたつもりだが、それでも三十分もたっていない。彼女たちには入浴という習慣がなかったようだが、それでも、女の子の風呂は長い、というのはこの世界では定番だ。

少し時間をつぶしていこう。

缶コーヒー片手に旅館の前庭から空を見上げた。

月明かりに押されながらも、星が見える。

多くの科学者が歴史を通して見上げて、国家的な規模のプロジェクトで宇宙に探査機を打ち上げているはずだ。

その世界が、那由の世界のたった十メートルの中にある。

不思議な気持ちだ。感覚的にはわけがわからない。

でも、少し落ち着いて考えてみると、僕たちはすでにサーバーの中に無限ともいえる世界を作ることに成功しつつある。

オープンワールドのゲームは際限のない広がりを見せているし、ほぼ無限と思われる宇宙空間を探索するようなゲームすら生まれていて、やりこむ気力さえあれば、一つのゲームで一生遊べるとまで言われ始めている。

もちろん、そういった深い世界を作りこめる一方で、ゲームのクリア時間も無限となる以上、ゲームの売り上げに影響するのでは、という意見もある。

さらに、フルダイブゲームの開発も進んでいる。

もし、もしも、だ。

今僕がいるこの世界、今見えている風景が那由たちの世界のだれかが創った電子の世界だとする。

もし、僕たちの人類が、このクオリティのＶＲを作って、那由たちがこっちに来ているようなフルダイブの世界が実現したとする。

どうなるだろう。

そこに快適な理想の世界があれば、人はそこで暮らし始めるんじゃないだろうか。人類は、夢にまで見た桃源郷を手にすることになる。

そうなると、本来その人々が暮らしていた世界はどうなるんだろうか。

僕なら、そこから戻りたいと思わないだろう。今、那由がシギにここで暮らせばいいのに、と言っているように。

そこまで考えて、またぞっとした。

視点が変われば、世界はどこにでも存在しうるし、そのリアリティに過不足がなければ、それは、自分にとって生きていく世界といってもいいんだ。

そう思うと、湯上がりの涼しい風に当たっていて心地よいはずが、どこかうすら寒さを感じるくらい身震いする。

宇宙も、生命も、自分自身も、神秘の塊なのだ。

そして、人類が今まで得てきた科学技術も、わからない人から見れば奇跡のようなものだ。

十分に発達した科学は魔法と見分けがつかない、とは、SF作家のアーサー・C・クラークの言葉だっただろうか。

そう思えば、僕らよりもはるかに進んだ文明が那由たちの世界だとしたら、この世界を構築することも可能に思えてくる。

それは、限界への挑戦だったのかもしれない。そして、わずかに限界を超越した時、限界というデッドラインは延長される。

人類はそれを繰り返して今を生きているんだ。

「ちっぽけ、だな」

ほんの少し前、いろんなことに悩み、半ば自棄《やけ》になり、この身を空へと躍らそうとしていた自分を省みる。

「そう、ある意味、僕の命なんかどこでどう朽ちようが、この世界に何か影響を与えるものでもないんだろうな。そして、それはたぶんみんなそうなんだ」

素晴らしい理論を発見する人がいる。

ものすごく画期的な発明をする人がいる。

それらで人類が豊かになることも多々あるだろう。

でも、それだけだ。豊かさも、限界のデッドラインと同じように、どんどんと貪欲にその先へ先へと延びていく。

どこで止まるんだろう、と不安になるほど、僕たちは新たな便利さや娯楽や価値観を求めていく。

その挙句、僕たちには時間が足りない。そして情報があふれていけばいくほど、生きにくくなっていく気がする。

それはきっと、知らなくてもいいことを知って、比較して、自分がそこに届かないことを思い知らされたりするからだ。

「ひとたび心が躍りだせば、やりたいことが多すぎる、って時代だよな。映画は二倍速で見て、本はタイトルであらすじがわかるくらいじゃないと安心して手に取れない、あらゆる情報がネットに落ちているので、辞書を引くこともなくなった。他人の成功がSNSで身近に感じられるので、成功しない自分と比較してしまう」

それは果たして幸せなのだろうか。

那由のように新鮮な驚きに満ちた日々といえるだろうか。

飽食と、飽知、飽娯楽、挙句の果てに、飽人生、とでもいっていいような生きづらさが蔓延しているような気がする。

那由たちの世界は、この世界を創った時に、どんな文明の段階にいたんだろう。

そして、それらを超えて、今滅びに瀕するにあたって、何を成してきたんだろう。

なぜ、彼女たちしか残っていないのだろう。

疑問と興味がわき出てくる。

それは、ひいては今僕が創っている『世界』に意味があるのかどうか、という部分も含めて。

「神様の最後の七日間、か」


改めて声に出してみる。

それは、とてつもなく多元的な意味合いを含んでいるようにさえ、聞こえた。

僕は今どこにいて、どこに行くんだろう。それは、場所や道という意味じゃない。

きっと、彼女たちと過ごす時間は、それを指し示す地図とコンパスのようなものになりそうな気がしてきた。

部屋に戻って、扉をゆっくりと開けてみる。

「ん、まだ鍵かかってるな」

やはり神様とはいえ、女子の風呂は長いのだ。

とおもったら、鍵の開く音がした。

「あ、ちょうどいい時間だ……った？」

「ああ、ちょうどいいところだったわ。ナユが倒れちゃって」

「まずは服を着ろ！」

バスタオル一枚でシギが出てきた。慌てて扉を閉めて、扉越しに話を聞く。

「那由が倒れたって、いったい……あ、二人とも、とりあえず服なり浴衣なり着てくれ！」

「面倒くさいのね。お風呂に入ってたらナユがふらふらになったから、今寝かせてるわ。入ってくれて大丈夫よ」

ほんとかよ。神様、倫理観や羞恥心も僕らと違うのかもしれないぞ……と警戒しながら入る。

シギはもう浴衣に着替えていて、那由は布団に寝かされている。見ると浴衣はまだ余ってるので、服を着てないかもしれない。ただ、掛け布団かかってるからセーフか。

「お風呂って、もしかして恐ろしいものなの？　入ってると思考ごと溶けそうな感覚があったわ」

「いや、ただリラックスしただけだろ。那由のやつは湯あたりだ。入りすぎてのぼせたんだよ。すぐに良くなるさ」

シギが神妙な顔をして言うのがおかしかったが、ひとまずは冷たい水に浸したタオルを額に当て、水もいつでも飲めるように用意しておく。

「すぐに気づくと思うけど、タオルぬるくなったら冷やして交換してやってくれ。ちょっと冷たいものでも買ってくる」

「わかったわ」

自販機までの廊下を歩きながら、僕自身も、湯あたりしそうなほど考えていたことを、もう一度整理してみる。

滅亡、という意味について、特に。

人類が滅亡する、というビジョンは、もうずいぶんと昔から人々の中にあって、だからこそ宗教が栄えるし、世紀末思想のように、一つの世紀が終わるときに滅亡を重ね合わせるのも、もはや人類の定期イベントといってもいい。

現在の僕の世界でも、戦争だけでなく、国によって少子化や人口爆発、飢餓、水不足、気候変動、増え続ける気象災害、温暖化、山ほど原因となりそうなものはある。

ひいては、隕石《いんせき》落下、なんてのも定番だし、過去に恐竜はそれで滅びている。

じゃあ、那由たちの世界で起こっている『最後』とはなんなんだろう。

彼女たちの世界が滅びると、僕たちのこの世界もなくなる、と那由は言っていた。

それが正しいのであれば、那由のいる星——それを地球と呼んでいいのかわからないが——が、完全に消滅する、という意味に取れなくもない。

あるいは、人類が滅びることによって、この世界が収まっている『球《スフィア》』の維持ができなくなる、という意味だろうか。

もしこのことを知ることがなければ、これはもう突然の隕石の落下と同じような天変地異と言えなくもない。

でも、知ってしまったら、それは果たしてどういうことなのだろうか、という興味はわいてしまう。

スポーツドリンクを手にして部屋に戻ると、もう那由は起き上がっていた。服も着ている。

「あっ、ショウ君。お風呂って、もしかして怖いの⁉」

「怖くないわ！　なんでも限度を超えるとよくないんだよ。湯につかりすぎたんだよ。ほれ」

スポーツドリンクを那由に渡すと、一気に飲み干した。

「美味しい……！　なにこれ！」

「体が水分と電解質を要求してるから美味《うま》いんだよ。そういう飲み物だ」

「ふうん。いろいろあるんだなあ。あ、シギももらってる」

もちろん、湯上りのシギの分もある。シギは那由のように騒ぎはしないが、気に入った様子ではあった。

「美味いだろ？」

「そうね。認めるわ」

シギの攻略は上手くいってるんだろうか。

仮に上手くいったとして、那由の世界の滅びは変わらないんだろうけど。

「ねえ、シギ、この世界で暮らそ?」

那由はすかさず勧誘を始める。だが、シギは首を振る。

「それはできないのよ。でも、つかの間だけど誘ってくれてありがと。少しだけ、世界によい気持ちをもって終われそうね」

「いや、終わらなくてもいいなら、その方法をとってみないか」

僕も那由に加担してシギを説得してみる。

「ふふ……多くを選択するつもりはないけど、そうね、今日はここで眠ることで、一日だけ長い体感時間を生きることになるかしら」

「そういや、もう眠いねえ……向こうの世界だと、眠る時間すらもったいなくて……三日ほどまともに寝てなかったかも」

「三日も?」

「そうだよ。だって、その時はもうすぐに世界が終わるって思ってたもん。ここを知るまでは」

那由は心底眠そうだ。風呂に入ってリラックスしたこともあって、一気に眠気が来たとみえる。

「てことで、話は明日……おやすみぃ」

そのまま那由は、ストン、と眠りに落ちてしまった。

そうか、那由と知り合ってもうずいぶん経つと思っていたけど、彼女の中ではまだ僕と会ってせいぜい数日、なんだな。そして、初めて眠りについて、日をまたぐのか。

残された日が七日、いやもうそれよりも短くなっているはずの世界に生きている那由にとって、眠りで日をまたぐ、というのは恐怖だったのかもしれない。告知された最後の日々を過ごす、というのは想像を絶する恐怖を伴うものなんだろうな。

そして、だからこそ、可能性に惹かれるんだ。

那由が眠ってしまったことで、シギと二人、残された感じだ。いや、いい機会かもしれない。

「なあ、聞きたいんだけど」

「何かしら」

「キミたちの世界のことを、もう少し詳しく」

「詳しく、といっても、特に話せることはないし、話すとしたら膨大すぎてどこから話していいかわからないわね」

「じゃあ、質問に答えてくれるだけでいい」

「答えられることなら、ね」

シギは教えない、とは言わなかった。質問の仕方で答えは変わるかもしれない。よく考えないと。

僕はまだ整理しきれていない情報の海から、慎重に質問を探し出した。

「キミたちの生きている世界は、星、なのか？　今俺たちがいるような、惑星上に生きてるのか？」

「その答えについては、私にも正確なところはわからないわ。ただ、過去の記録として、私たちの世界は球体であり、空には天体がうごめいていて、宇宙という存在も認知されていた。今のあなたたちの世界と同じよ」

「じゃあ、俺たちの認識している地球と同じだ。君たちの星の名はあるのか」

「さあ」

「さあ、ってことはないだろ」

はぐらかした。

「名前なんて、どうでもいいのよ。そして、人は世界を創るとき、そこに理想を詰め込む。あなたの住むこの世界は、きっと私たちの先人の理想が詰まっている」

たしかにそうだ。

僕が創ろうとしている世界もそうだし、他の人が創ろうとする世界だって、今のこの世界にない何かを理想としてそこに落とし込んでいる。

じゃあ、僕らの今の世界を理想とした人たちが住む世界、というのはどういうものなんだろう。

例えば僕らの世界から見た理想郷を『異世界ファンタジー』とするVR空間だってある。この世界が理想郷だとしても、同じ文明があったとは限らない。

「キミたちの文明は……どういうものだったんだ？」

「滅ぶ世界を回避できなかった文明、ね」

「それはいったいどういう……」

「那由から聞くといいわ。私が話すことじゃないと思うし」

「那由は、知ってるのか？」

これまでの那由の様子からして、彼女は自分の世界の歴史にすら、あまり詳しくないように思えた。

そしてそれは、僕たちの世界で言う『勉強ができない』などという問題ではない、何かもっと根本的な問題を感じている。

今の那由がそれを知っているとは、僕には思えなかった。

「あの子は、きちんとそこに到達するわ。だから、その時に聞けばいい」

「その時って……君らの世界は、もうなくなるんだろう？」

「ええ。だから、きっとそれまでに彼女はそこに届くわ」

抽象的過ぎてよくわからない。

僕の質問の仕方も悪いのかもしれないが、シギは思うような答えをくれない。

「キミはなぜ、那由とともにここにとどまろうと思わない？」

質問の方向性を変えてみた。

那由と違って、シギはかたくなに滅びを受け入れようとしている。それは、生物の『生き延びたい』という本能に反する気がしていた。いや、自ら終わらそうとしていた僕が言えることではないか……

でも、その行為が愚かなものだった、と思える今の僕だからこそ、そう感じるともいえる。

「神に、なりたいから」

「神に……？」

那由は自分のことを神様だといった。

僕は彼女たちを神様だと認めている。それは、この世界を創った人たちの末裔だろう、という推測が成り立つからだ。

でも、シギが言う神は……彼女たちの世界観の中の神なのだろうか。

「寝ましょうか。私も、あまり眠れていなくて」

「そ、そうか」

シギの方から話は終わり、と言ってきた。やはり彼女は彼女自身の世界について、あまり多くを語ろうとはしなかった。断片的にいくつか知ることはできたものの、パズルのピースとしてはまだほんの数片という感じだ。

シギもすぐ眠ってしまった。神様たちは寝つきがいいのか。

僕は暗い天井を見つめながら、ずっと整理のつかない情報に翻弄されていた。

彼女たちは最後の七日間で何を見て、何を感じて、何を得、そして失うんだろう。

そして僕は……

＊

「ショウ君！　大変だよ！　大変！」

「な、なんだ！」

昨日寝付くのが遅かったせいで、僕は盛大に朝寝していた。朝食付きプランでなかったので余計に。

そして、那由の大騒ぎで起こされたのだ。

「シギがいないよ！　ほら！」

「え」

見ると、きれいに布団と浴衣はたたまれ、昨日買った服も残されていた。

「どこへ……」

と思ったが、愚問だった。彼女は帰ったのだろう。

帰るにあたって整頓された様子が、彼女の性格を物語っているようだ。そして、座卓にメモがあるのに気付いた。

「那由、これ」

ナユへ、とシンプルに書かれたそれを、那由に渡した。

「これだけ、だよ」

那由はその紙面を僕に見せてくれた。そこには、『できるだけ早く、こちらへ戻るように。必ずよ』とだけ書かれていた。

「滅びるまでに、って事か？」

「……だと思うけど、でも、こっちの時間だとまだかなりあるよ？　そういう設定にしてあるから」

シギの話では『ナユは時間と運命操作を担当する』と言っていた。

ということは、向こうとこっちの時間差は那由がいじってる、ということになる。

「この時間差、那由が作ってるんだよな？」

「そうだよ。ほんとはこれも禁忌なんだけどね」

「他の人がいじるってのは？」

「基本的にはできないよ。それぞれの担当には専用の部屋があって、そこに入れるのは担当者だけだから」

「そうか」

シギの残した一片のメモ、気がかりではあるが、彼女にとって数日でも、こっちにいる那由にはまだまだ先のこと、ということになるか。

「那由、どうする？」

判断は那由次第だ。今すぐ帰った方がいいのかもしれないし、向こうの状況は僕にはよくわからない。

「うーん……」

那由は悩む。

「シギには、わからなかったのかな」

そして、残念そうにつぶやいた。

那由とシギの関係がどうなのか、僕にはわからない。

良くも悪くもドライな関係に見えた。

それでも、那由はシギに生きる道を見つけてほしかったのかもしれない。

「もう一度、説得するか？」

僕の言葉に那由は首を振った。

「価値観は人それぞれだし、あの世界の滅びはもう避けられない。シギの判断は尊重するよ。でも、私はまだ生きたいし、この世界をたくさん見てみたい」

「そうか。じゃあ、旅を続けようか」

「うん！　そして、いっぱいお話ししよう。ショウ君とゆっくり時間を取れたことがなかったからね」

那由は今まで、現れては消え、そして、次に会えるまでの時間が長かった。

それは、世界の時間差がもたらしていたことだが、僕にとっての二週間が、彼女にとっての数時間、という時間の主観の違いがあった。

だから、本来彼女の体感時間では、僕に会ってからまだ半日程度なのかもしれない。

その間に、彼女の中で何が起きたのか。

僕の中では数週間の間に、何が起きたのか。

そんな話もしてみたい。

僕たちは宿をチェックアウトして、車を走らせた。

天気は快晴。風は心地よく、行くあてもない旅路だけど、那由と二人ならどこまでもいけそうだった。

車をひたすら南へ向けて走らせる中、那由と世界について話し始めた。

「那由から見て、この世界は理想なのか？」

「そうだね。ほしいものがたくさん入ってる。青い空や海だけじゃない。太陽も、星空も、ここで初めて見たよ。何より、美味しいものがすごいね」

僕たちが普段、何気なく享受しているもの。それは当たり前にそこにあるものだ。だから、それらに対して特別の意識というものはない。たまに感動したり、美味しいものを喜んだりはする。

でもそれすら、時間やお金という何らかの対価さえ払えば、手に入るものとして当たり前に存在している。

「私たちには、そんなのないから」

那由たちの世界には、その当たり前がないのだ。そして、それはもしかすると、僕たちの世界の最後にもあり得る話だし、現実に、この世界の中にも何も手に入らない生活をしている人々はいる。僕の身近ではないだけだ。那由には、ちょっと言いにくいけど。

「じゃあ、美味い物めぐり、かな。景色はずっと最高だからな」

「賛成！」

この辺りなら美味いものには困らない、検索すれば何でも出てくる。それらを目標に車を走らせながら、僕はもう少し核心部分を知りたいと思った。

「なあ、那由、君らの文明はどれくらいの歴史があって、いつ滅びに向かったんだ？　原因は？」

これは、ともすると僕らの未来かもしれないのだ。興味がある。

「うーん。実はね、この世界の詳細のところはプロテクトがかかってるんだ。そこにアクセスできたら、私たちは圧縮学習でその知識を得られるんだけど……」

「何それ、すごいな」

「私たちには時間がなかったからね。だから、生まれてすぐ、必要な分だけインストールされてた感じ。逆に不必要な情報は一切知らなかった。みんなそうだったよ」

でも、知っちゃったらね、と小さく続けた。

そして、気になる言葉があった。インストール、とは。

「なあ、那由、君の生まれは？　ご両親はいるのか？」

「両親？　ええっと、ショウ君とこのお父さんとお母さん、みたいなの？」

「ああ、まあ、そうだ」

あまり思い出したくないが、彼らが両親ということは真実なので否定できない。

「いないよ……だって……」

そこで那由は言い淀《よど》んだ。

「ごめん、言いにくかったらいいんだ」

「言いにくい、ではないんだけど、言っていいのかな、って感じでね」

「那由がいいなら聞きたい。俺はもう、そうそう驚かないよ」

命を断とうと登ったビルの上で、謎の女の子に出会って、その娘は自分を神様って言うし、背中に翼があるように思ったから追いかけてみたら、本当に神様といっていい存在だった。

突き詰めていくと、この世界は作り物で、さらに上の世界では十メートルほどの球体に入っていて、上の世界も滅びかかっている。

詰め込みすぎのゲームかな、っていうくらいの状況だ。

そして、これらはみんな僕の脳が創り出す幻覚だ、とまで言われている。

幻覚でもいいか、と思った時点で、僕にはもう怖いものはない。

今助手席に座っている白い少女が幻覚なら、こんなリアルな幻覚を作り出せる僕の脳を褒めてやりたいくらいだ。それくらい、那由は僕にとってリアルな存在なんだ。

「あの、ね。私ね……」

逡巡しながら、次の言葉を出そうとしている。僕はせかさずに待った。

景色は無限とも思える空と、それを有限の世界と分かつ水平線、一面の青い輝きで埋め尽くされている。遠景の景色はこちらが動いていても、変化に乏しいが、それがかえって、悠久の時間の存在を感じさせる。

僕と那由の今の距離は、運転席と助手席、わずか数十センチだ。一メートルもない。でも、二人の時空の距離はどれくらいあるのだろう。こんなに近くにいるのに、こんなにも遠い。

彼女の知らない一面を知ることで、この距離は少しでも近くなるのだろうか。

「昨日さ、シギが言ったよね。この世界は電脳空間だって。そして、ショウ君も言ったよね。自分は電子の塊にすぎないのか、って」

「ああ……」

あれは衝撃的だった。でも、一夜明けてみれば、やはりこれまで過ごしてきた人生と同じ感覚、同じ空間が広がっている。にわかに、ああ、自分は電子データなんだ、なんて自覚は生まれないし、生まれようもない。

「私たちも、そうかもしれない」

「え……」

「私に両親はいないよ、きっとシギにも。さっき言ったよね、私は生まれながらにして、あの世界の最後を管理するためのことしか知らされてなかったんだよ」

ああ……インストールっていうのは、そういう……

「じゃあ、那由は、機械なのか？」

「わかんない。機械と生体の差なんて、そもそも比べる対象が存在しないから、私たちは私たち。お互いに違和感もなかったし、興味すらなかったんだ」

だからね、と続ける。

「ショウ君と会えてよかった。この世界に会えてよかった。私は、どんどん、生きている。いっぱい生きてるんだよ」

まっすぐに前を向いて、那由は言った。

車の中じゃなかったら、抱きしめてしまいそうなほど、それは眩しい。ちょっと運転しているのがつらくなってきた。すぐ先に展望用の駐車場が見えてきたので、そこに停車させる。

僕は、那由のその言葉に応えるでもなく、車を降りる。那由もそれに倣って、二人して水平線のかなたまで見渡せる展望台の端っこに立った。

「ショウ君は、生きてる？」

隣に立った那由が背伸びをしながら尋ねてくる。

「生きてる。多分」

「あの日は、死んでたね」

「ああ、そうだな」

那由が来なかったら、今ここに僕はいないだろう。それくらい、あの時はすぐ近くに死がいた。でも、死神はいなかった。すぐ後ろにいたのは、白い白い、女神様だったんだから。

「私もね、あの直前までは生きて死んでた。やることはわかっていたし、毎日こなしていたけど、それは生産的でもないし、能動的でもない。そう、ほんとに機械みたいだった」

「ま、この世界の労働もあまり変わらんところはあるけどな」

「そうなの？」

「そうだよ。社会ってやつは、なにかと人を決まったレールの上に乗せようとする。誰かと誰かを比べて、劣っていることを強調して不安をあおる。ニュースやコラムなんかも、最近そんなのばっかりだよ」

「例えば？」

「うーん」

いきなり例をあげろ、と言われても少し困った。たくさんあるはずなんだけど、すぐには出てこない。考える。

定年退職後、二千万円ないと暮らせない。

年収○百万円ないと負け組。

若くして大成功した、ほんの一握りの事例をさもその業界の当然のように記事にして、『お前はダメだ』と言われているような錯覚に陥る。

　日本はダメだから、海外で稼ぐと賃金も高くていいぞ、と現地の物価は伝えずに額面だけ強調する海外転職記事。

　どれもこれも、その裏にあるものは透けて見えるのだが、『生きにくさ』に浸ってしまっている僕らの世代は、それをダイレクトに受け取ってダメージを負う。

「そっかあ。やっぱり大変なんだね。でも、いいね」

「いい？」

「うん。比較対象があるって、いいじゃん。私たち、それがなかったから何も気づけなかったよ。私が気付きを得られたのも、禁書庫でこの世界を知って、今の自分の世界と比較できたから」

　確かにそうかもしれない。比較対象がなければ、現状認識もできないんだ。

　ただ、今の世の中、情報の洪水が僕らを押し流す。正しく比較されず、社会にレッテルを貼られ、自分が無力で無価値なのでは、と思わされてしまう。

　那由にとって、この世界は、自分たちの世界との決定的な比較対象になったのだろう。そして、それは先人の理想が詰まった世界だったということか。

　単純に、これが人工物だ、ということを認めたとしたら、その技術水準はすさまじいと思える。いや、しかしこの認知すら、ずっとこの世界にいるものの感覚で、もしかすると、創造者からすれば不満が残るものなのかもしれない。

それくらい、環境や持って生まれた世界の中での認識力なんて曖昧なんだ、ということを、那由やシギを知ってから思い知らされた。

だからこそ、僕は今、生きているんだろう。

「那由、何が食いたい？」

この世界で『いっぱい生きている』という那由を、ずっと楽しませたい。

そのためにできることは、何でもしてやりたい。

それが、僕の生きる意味になりつつあった。

「んーと、昨日食べたやつ美味しかったね。おさみし？」

「惜しい、お刺身だ」

「それ！」

南に下ればいくらでも良い店がある。一つ選んで、そこに向かうことにした。

今回の那由はすぐに帰らない。なので、いろんなことを経験してもらえる。

ただ、気になるのは、シギのメモだ。

できるだけ早く、とはどれくらいの期間の話なんだろう。

シギが滅びを選んだとしても、那由のこちらの体感時間で測れば、かなり先の話になるのか。それでも、シギが待つ時間は数時間かせいぜい一日くらいなのだろうか。

僕も時間の概念がおかしくなっている。

那由たちの世界の歴史、そのプロテクト。

何のためにそれがあるんだろう。シギは、それを知っているんだろうか。


一日、遊び倒した。

南紀勝浦《かつうら》まで下りてきて、絶品のマグロ刺身に舌鼓を打ち、サザエのつぼ焼きに躊躇する那由に、美味いから食ってみろ、と食わせてみたり。

海鮮料理って、見た目がアレなものも多いので、外国人には苦手な人が多いと聞くが、那由は意外と平気で、何でもおいしくいただくようだ。

「私たちの世界、食事なんて稼働するための栄養素、って考えだからね。こっちのご飯を知ってから向こうに帰った時、まずくて死ぬかと思っちゃった」

とは、那由の言である。向こうに帰ってしまったシギはどう感じるんだろうな。

そして僕たちは、国道から少し離れた、ほとんど人のいない駐車場に車を停めて、二人で夜空を眺めていた。

「この宇宙が、作り物、か」

やっぱり信じられない。

辺りは空も暗く、月がない時間なら、見上げると満天の星だ。数えきれないほどの星が見える。

僕らの常識から考えると、この空の向こうには無数の星が存在していて、その総質量たるや、とても地球スケールでは理解できないような膨大なもののはずだ。

それを、仮に超文明が存在したとして、創り出せるものなのだろうか。

「どうやって作ったんだろうな、那由は何か知ってるのか？」

「知らない。でも、在るものは在るんだよね。それは、どうやって作ったかっていうより、できちゃったものなのかもしれないね」

「できちゃうもんなのか？」

「この世界は、数学で説明できる、っていうじゃん。天体の複雑な運行も、いろんな機械や電子技術の制御も、全部数学だって」

「それはまあ、そうかもしれないけど」

「じゃあさ、世界を支配しうる数字ってなんだろ。それは、その世界の元になったものが数字に基づいてるからかもしれないよ」

「数字、か」

考えてみれば不思議なものだ。

宇宙はビッグバンから始まり、その時に初めて時間というものが流れだした、と言われている。

言われているだけだ。正解かどうかの確証はないし、そのビッグバンの前の世界はなんなんだ、と言われれば、そこに論争は絶えない。

思考遊戯としては非常に面白いのだが、突き詰めていくと怖さもある。宇宙の深淵の恐怖、というのはそういうものかもしれないし、だからこそコズミックホラーなんてジャンルもあるんだろう。

「そうだ、ショウ君の世界、見せてよ。まだだったね」

「あ、そうだな」

僕の世界。まだ見せられるほど構築は進んでないけど、それでも簡易なVR空間はできている。一昔前のゲームよりは多少クオリティが高いと自負はしているけど、この世界が同様の存在だとしたら、そこに追いつくには無限の時間がいりそうだ。

車の中に戻ってPCの電源をつけ、二人ともVRゴーグルをつける。

まだ、フルダイブなんてものは実験段階で、一介の大学生がどんなに金を積んでも手に入るものじゃない。やっと、没入感を増大させる高級VRゴーグルが出回り始めたくらいの技術水準だ。

「へー、こういうのつけるんだね」

那由からすれば、おそらくはローテクの部類だろうが、興味深そうにゴーグルをつけて待機している。

「いいか、入るぞ」

「いいよ」

このサーバーはまだプライベートサーバーなので、ログインする、というよりは、ゲーム世界を起動する、という感じに近い。

数秒の間をおいて、ゴーグルの中に僕の世界が映し出される。

「わあ。けっこう臨場感はあるね」

「そうだろ。まあ、『この世界』には及ばないけどな」

視覚的な臨場感は結構頑張ったつもりだ。

でも、五感すべてをリンクできるような技術は、まだ『僕の世界』には確立していない。

「なるほど、これがショウ君の世界、か。うんうん、これは希望だね」

「希望？」

「ショウ君はどうして世界を創るの？」

「どうしてって、それは……」

今の世界が生きづらいからだ。

理想を詰め込んだ、もっと楽しく生きていける世界があればいいな、と思ったからだ。

そういう願望は、随分前から創作の世界でもてはやされていたし、古来より異世界への転移や転生という、『ここじゃないどこか』で成功していく話は人気がある。

そして、それは、世情を表しているのだと思う。

僕が生まれるずっと前。高度経済成長と言われた時代は夢と希望と活力にあふれた時代だったという。

そんな時代の人々が夢見たのは、科学技術が発達した近未来、SF冒険譚《たん》やロボットヒーローものが大人気だった。

そのころの未来像を見ると、超高層建築、宇宙探検、宇宙ステーション、月世界旅行、空飛ぶ車、などなど、人類の発展を確信してやまないものばかりだった。

頑張れば頑張るほど収入も増え、マイホームをもって家族四人、みたいな理想像があったらしい。

僕の時代は違う。

賃金は三十年以上横ばいで、就職するにも正社員が遠く狭き門、長時間労働は当たり前で、サービス残業やブラック企業もはびこっている。

就職活動において、履歴書に傷がつくことを恐れ、どうにかこうにかいい会社に就職しようとして無理をして、働き始めれば現実に押しつぶされて病み疲れる。そんな話に事欠くことはなく、ニュースサイトで見るそういった記事は、どんどんと僕たちの世代を追い込んでいく。

情報があふれ、未来に希望を持てない時代が今なんだ。

だから僕は世界を創っていた。

そう、逃げ出したかったんだ。

「そうかあ。大変なんだね、この世界も。いいことばっかりじゃないんだ」

「すまん、夢を壊したかな」

僕の話を聞いた那由が少し悲しそうな声でつぶやいた。彼女にとっては理想の世界だったろうに、少し罪悪感を持った。

「ううん、それでも、私の世界より億倍すごいよ。そりゃ、どんなことでもメリットばかりじゃないよ」

「那由の世界は、デメリットの方が多いか？」

「うーん、滅びゆく世界にメリットはないかな」

くすくすと笑う。確かにそうだ。

「それにね、ショウ君がどんなふうに思おうとも、私にはこの世界が輝いて見える。この世界がよいものになっていってほしいな」

「俺だってそう思うさ。でも、ひとりの力でできることなんて、たかが知れてる」

「そうかな。例えばさ、このショウ君の世界に関しては、ショウ君が大きな影響力を持つことができるじゃない」

「いや、そうだけど、それに何か意味があるか？」

「今はないかもしれないけど。でも、もしこの中に生命が生まれたら？　文明が生まれたら？　そうしたら、ショウ君は神様だよ」

私たちみたいにね、と那由は微笑む。

神様、という不確かな存在をどう定義するか。宗教とは関係なく、そういった絶対的な存在があるとしたら、たしかにＶＲであれば、製作者の僕がそれに該当するのかもしれない。

創作物があるなら、それを創作する人は、その創作物から見れば神様といっていいだろう。

そして、本当に僕たちの世界が電子の世界のものならば。いや、もっともっと思考を広げれば、例えば誰かが描いた小説や漫画の世界も、その文字や絵の向こうで、彼らが生きて生活しているかもしれない。そうなれば、その生殺与奪を含めて、すべてを握っているのは作者という神だろう。

「はは、わかんなくなってきたよ」

「私も」

二人でゴーグルを外して、笑いあった。

これでいいんだ。僕が今感じている幸せは那由といること。どんな理由をつけようが、真実がどうであろうが、それは変わらない。

この時から、僕たちは、難しく考えることをやめよう、と約束した。

素晴らしい景色を見て、興味深いことを知って、美味しいものを食べて。ときおりだらだらとしてみたり、夜通し車で走り倒してみたり。とにかく、持てる時間を目いっぱい楽しんだ。

那由にとって、それは新鮮な体験なのだろうし、経験値が増えていけば、より新しいものに目を向け、興味の対象を広げていった。

サファリワールドに連れて行ったときは、特にその好奇心を炸裂させていた。那由の世界ではすでに見ることができない『人以外の生物』を、那由はたいそう気に入っていた。

那由の知識の蓄積の速さは、子供がスポンジのようにいろんな知識や経験を吸収していくのに似ていた。

そして、僕も同時に様々な新たな体験経験を得ていく。

人生でこんなに充実した日々はなかった、というくらいに、あっという間に数日が過ぎていった。

「そういえば、シギのメモ」

シギが帰ってから、すでに五日と少しが経っていた。こんなに長い時間、那由が僕のそばにいたこともなかったし、那由も時の過ぎ行くままにシギのメモを忘れていたようだ。

ふと思い出したかのように、常に持ち歩いていたそのメモを懐から取り出した。

「なるべく早く……か」

那由が改めてその文面を読み上げた。僕もすっかり忘れていた。

「那由、こっちで五日ほど過ごしてるよな。向こうだとどれくらい経ってる？」

「まだ数秒だと思うよ。シギも一緒だったから、最大の時間差にしてきたから」

二人でシギのメモをのぞき込む。

那由のその話を聞いてから見ると、なにか意味深に思えてきた。

「一度、帰った方がいいんじゃないか？」

「ショウ君もそう思う？　楽しくてすっかり忘れてたけど、シギの残された時間は多くないし、何とかもう一度説得できたら……」

「ちょっと思いついたんだけどさ」

「なに？」

ふと、気になったことがあった。自分で考えても荒唐無稽に過ぎると思ったが、疑問はぶつけておきたい。

「俺が那由と一緒にそっちの世界に行ってみる、ってのは可能なのか？」

「んん⁉」

予想以上に那由が驚愕の表情を浮かべた。

「そ、それは考えもしなかったなあ。ていうか、それ全くメリットない気もするんだけどさ。だって、向こうはもう数日で終わっちゃうよ」

「あ、いや、向こうで暮らそうとか言うんじゃないんだよ。神様の世界ってやつを見てみたいなって」

後学のため、というと変かもしれないが、百聞は一見に如《し》かずともいうし、僕自身、もう今起こっていることが、現実なのか夢なのか幻覚なのかわからなくなっている。

それなら、何が起こっても不思議じゃないな、という妙な気持ちになっていた。

「可能かもしれないけど、私も『球《スフィア》』のことをすごく知ってるわけじゃないんだ。すべてを知るには情報も時間も足りなくて。シギなら、もしかして知ってるかもしれないけど」

「そうか、そうだよな」

少し残念ではある。滅びを控えている世界に入る、というのはそれなりのリスクはあると思うけど、一方で那由のことを知りたい、という好奇心の延長上に、その世界を見てみたいということも含まれる。

いまさら、何がどうなっても何とかなるだろう、と、あの日、那由に出会った奇跡を体験してから、妙な自信が芽生えていた。

人間万事塞翁《さいおう》が馬ともいう。僕は、ようやく僕自身が選んで歩ける道を見つけられそうなのだ。そして、それは那由とともに歩みたい道でもあった。それなら、那由が歩んできた道のせめて一端だけでも覗いてみたかった。

僕は、滔々《とうとう》とそのことを那由に語った。

「そっか。そうなんだ。えっと、うん、少し、うれしいかな」

那由が笑った。

彼女が笑うなら、僕は何でもしてやりたい。そんな温かい気持ちになる。

何かと損得で動きがちなこの世の中で、彼女のためなら、僕はすべての利益をなげうってでも、やれることをやってやりたい、と思うようになっていた。

「じゃあ、いったん戻ってみるよ。なるべくすぐ帰ってくるから」

「ああ、わかった」

こうやって、きっちりと言葉を交わして那由が向こうに帰るのは初めてだった。

どうやって帰るのだろう、どんなことが起きるのだろう。

僕はその時、少しワクワクしていた。

でも、そのワクワクは次の瞬間、裏切られた。

第八章　神様の世界　――あと1日と3時間／39日経過

【翔】

何かがおかしかった。

那由が姿を消す瞬間に立ち会うどころか、前後左右がわからなくなるような、奇妙な浮遊感の中で、僕は混乱していた。

「あ」

ようやく五感を取り戻すと、那由の驚いたような短い声が聞こえた。

「え？」

困惑する。いつの間にこんなところに来たのか。

空気が、違う。

こんなにわかるものなのか。なんとなく、砂の匂いというか、埃っぽいというか。明らかに今まで吸っていた空気と違うのがわかる。

身体を起こした僕の目の前には、焦りの表情を浮かべた那由。その姿は、さっきまでの服とは違って、最初に出会った時と同じ白いワンピースだ。

「どうしてショウ君が……！　ええ……」

「ここは……まさか……」

那由の驚きよう、そして、明らかにさっきまでいた場所と違う風景。

まるで、どこかの研究室か管理センターのような無機質な部屋。周囲には用途がよくわからない機器がたくさんある。

部屋の真ん中には、人が一人横たわれるような大きなベッドがあるが、ちょっと様相が異なる。

SF映画のコールドスリープ装置などでよく見る、ガラス張りの風防のようなふたが大きく立ち上がっている装置だ。

僕たちは、それぞれのベッドの上で身を起こしていた。

「何が……起こったの！」

那由はかなり慌てている。それに比べて、僕は意外と冷静だった。

ああ、ここが、那由の世界か、とすぐに悟った。

壁には大きなモニターがいくつかかかっていて、そこによくわからない数値や、そして、那由たちが『球《スフィア》』と呼んでいるものらしい映像もあった。

「あれが……俺のいる世界、なのか？」

衝撃だった。

那由が言っていたように、その球は金属製で、多くのケーブルのようなものに支えられて宙に浮いていた。大きさは、画面越しではわからない。

「あ、あの、ショウ君……」

「ああ、那由。これが、君の世界なんだな」

「そ、そうだけど、なんで？　どうしてショウ君がこっちに来ちゃってるの」

那由の動揺はかなりひどいように見えた。ベッドから身を起こして立ち上がろうとしてふらつくくらいだった。僕は慌てて那由の身体を支えてやる。

「このケース、シギがあっちへ行くときにつかったやつ……いったいなんで」

僕が寝ていたベッドケースは、シギのものだという。

「待って、混乱しちゃってる。落ち着かなきゃ。私、落ち着け」

那由がぺしぺしと頬を叩いて、落ち着こうとしていた。

「ふつうは、来れないんだよな？」

「来れないよ。だって、時空が違うんだよ？　私たちがあっちでだれにも見えないのと同じで……あ」

そこまで言って、那由は何かに気づいたかのように叫んだ。

「ショウ君は、見えるんだ……もしかして、それが関係しているの？」

那由には何もわからない、というのは本当のようだった。

しかし、突然こんなことが起こるとは思えない。那由はきっといつも通りに帰ろうとした。それで僕が巻き込まれるようなことが起こるなら、今までだってすぐそばで消えていた。その時に同じ現象が起こってるだろう。

ということは、これは意図されたものだ。となると。

「シギを探そう。彼女が関わってる気がする」

あのメモ、そしてこの事態。世界の滅びを受け入れていたシギ。

嫌な予感がした。

「そ、そうだね。でも、ちょっと待って……」

那由は周りの機器を見回って、何かを確認しているようだ。

「え……なんで……そんな……」

そして、突然血相が変わった。何かとてつもなく恐ろしいものを見たように目を見開き、口元を手で押さえ、体を震わせる。

「そんな……そんな……」

「危ない！」

　ふらついて倒れそうになる那由を何とか抱き留める。それでも、那由の身体はものすごく震えていた。

「時間が……時間が……」

　那由が見ていたモニターに向けた指も、小刻みに揺れている。僕はその指さす先に視線を移した。

「二十八時間と四十五分……」

　そのタイマーが何を意味しているか、すぐわかった。そして、この瞬間にもカウントは秒単位でどんどん減っていく。

「どうして……中の世界と時間が……リアル同期してるなんて……シギ……どうして……」

「シギが、やったのか？」

「それしか、考えられないよ。まさか、シギ、この部屋から『中』に入ったのはこれが目的だったの？　そんな、ひどい……」

「どういうことだ？」

「この部屋が時間差をいじることができる唯一の部屋で、普段は私しか入れないんだよ。でも、この前あっちに行ってみてもいい、って言った時の条件が、ここから入ること。だから、シギがひとりで帰った日も、ここにログアウトしてる。勝手に、時間をいじることもできる……」

「なるほど……でも、なんで」

「わかんないよ！　でも、そんな、ひどいよ！　『中』の世界の寿命まで減らすなんて！」

そうか。

この世界の滅びと同時に僕が暮らす『中』の世界もなくなる。それを回避はできなくても、可能な限り体感的に遅らせることはできていたはずだ。そのチャンスというか、猶予がかなり減った、ということを僕たちは理解した。

なんてことだ。まだまだ先のはずの滅びが、突然隣に立った気がした。

「と、とりあえず、ショウ君がこっちにいるから、最低設定に戻せば少しは……あ、でも」

「どうした？」

「……一秒一日、まで設定できるんだよ。でも、そうすると、今度向こうに帰った時……」

「……ものすごい時間が経ってる、って事か」

一秒一日。こっちで一時間過ごすと三千六百日。ほぼ十年が経ってしまう。

そして、そう設定したところで、残りの『地球』の寿命は三百年程。そこまで減ってしまっていた。

世界とは、なんとはかないのか。

僕の世界には滅亡の種になりそうなことは確かに山ほどあった。でも、なんとか踏みとどまっていた。

しかし、踏みとどまり続けたとして、あと三百年程が限界なのだと言われたら。

「どうしよう……いまからでも十五分一日に……でもそしたら……」

「一年も持たない、か」

なんということになったのか。

世界を持続させると僕のいた時間は過ぎ去ってしまう。その時間差を可能な限り維持しようとすれば、あっという間に世界そのものが消えてしまう。

僕も那由も頭を抱えるしかなかった。

シギを探して、詰問するなり翻意するなりする時間を考えると、あまりにも選択肢がシビアすぎた。

「シギの居場所はわかるのか？　感じあえるんだろ？」

「それがね……わかんないの……よほど遠くにいるのかな。でも、施設の外には出ないと思うし……」

「シギの部屋は？」

「それならわかる。でも、時間設定、どうしよう……」

「一分一日にして、一時間以内に片をつけよう……その間にシギが見つからなかったり、説得できなかったら……」

「……わかったよ。じゃあ、すぐに行こう。シギのとこへ」

那由は時間設定をいじり始めたようだが、そこですぐに血相が変わる。

「変えられない……どうして……」

「変えられない……!?」

それが意味するところは、僕の世界も同時に二十八時間と少しで滅びてしまう、ということ。

それはつまり、僕たちの命の終わりの宣告でもあった。

「そんな、ばかな……」

突然告げられる余命宣告。

でもそれは、病気でも事故でもない。

世界の終わりだ。

僕も那由も、それぞれの世界にいるすべてのものに対して、滅びは同時に、分け隔てなく起こる。

僕はモニターに映る『球《スフィア》』を見た。

その中には、間違いなく何十億という、いや、人類以外も含めるとそれこそ何兆という『生命』が生きているのだ。

こっちの世界から見れば、電子のデータ集合体かもしれない。でも、高度に独立したＡＩは、生命と区別がつかないのではないか。そこに自我と思考と感情が存在すれば、もうそれは生命だ。

僕たちはもしかして、そうやって生まれた存在かもしれないのだ。でも、自覚などない。僕は僕で、あの世界の生命は、生命なんだ。

そして、こっちの滅びに瀕している生命たちは、どこに行ってしまったんだろう。

那由とシギを残して。いや、今や、もしかすると那由だけが残されて。

「シギの部屋へ行ってみよう」

僕は那由に行動を促した。もう時間はない。

もし、『中の世界』――僕たちが住んでいる世界の時間の流れを操作できなければ、ともに滅ぶしかなくなってしまう。

そして、僕が向こうに帰れるかも、まだわからない。

心臓が早鐘のようになる。事態をまだ受け入れられない。

それでも、行動するしかなかった。

「ここだよ」

シギの部屋、という場所はすぐだった。施設自体は広そうに見えるが、二人しかいないからか、使用区画は限られているようだった。

ここまで、外の様子をうかがい知る場所はなかった。完全閉鎖区域のようだ。

「開いてる。普段は、担当管理者以外は入れないようにしてるはずなのに」

那由はゆっくりと扉を押し開く。僕もその後に続く。

部屋の様子は那由の部屋とそう変わらない。

「いない、ね……」

空調の音、機械の作動音、そして、嗅ぎなれた電子臭、まるで、僕がいつも熱中していたVR世界構築の作業部屋のような雰囲気だ。なんとなく、違和感がない。

「那由、これ」

作業用と思われるデスクの上に、また紙片が落ちていた。

『ナユ、お帰りなさい。これを見ていることを願うわ。私はもう行きます。あなたは、あなたの道を　Future or Destroy』

「これだけ？」

紙片を見た僕は思わずつぶやいた。

「これだけ、だね。あとは、何だろ、アルファベット……」

メモの最後に、『未来か、破壊』という意味の英語が記されている。それが意味するところを、二人は知らない。

「どこへ、行ったんだろ」

那由はじっとその紙片を見つめていた。いろいろな思いが頭を巡る。

「『中』へ？　それとも、まさか外へ」

「『中』へ戻るにはあの装置がいるんだろ？　外じゃないのか？」

「外は、無理だよ。来て、ショウ君」

那由がまた駆け出す。今度は階段をのぼり、施設の上へと向かっていく。

何階まであるのだろう。けっこうな段数を折り返し上って、いよいよ到着したのは。

「うわ……これは……」

「これがね、私の世界、なんだ」

「曇り空と、砂漠と、砂嵐……だけ？」

展望台のようになっているフロアだった。

そこに映る景色は、絵にかいたような終末世界だった。

空は暗く厚い雲が垂れ込め、日の光は地表に届かず、風が吹きすさび、すべてを呑み込むような砂の海が続いている。地平の果てまで視程はなく、ただ、孤立したこの建物が永遠に閉じ込められている世界だ。

「この中に出ていくのは、自殺行為だよ。まさか、行ってないよね」

「これが、世界の終わりなのか……」

僕は立ち尽くした。

那由が、僕たちの住む世界を『美しく素晴らしい』という理由が、これ以上ないくらい納得できる。一方で、シギがどうして滅び以外の道をかたくなに拒むのか、それがわからない。

「あと、二十八時間ほどでなくなる世界、だよ」

那由が悲しそうに、ため息交じりにつぶやいた。

「シギを探したいけど……時間がない。でも、このままあっちに戻っても、時間の流れを変えられなきゃ意味がない……」

「くそ……手詰まりか」

絶望的な風景を見ながら、二人で立ち尽くしていた。

何とか、打開できる方法はないのか。

といって、僕はこの世界のことがわからない。所詮は、この世界に作られた存在だし、それがここにいること自体がイレギュラトなのだ。

荒唐無稽で信じられない話でも、僕にはもうそれを信じる以外になかった。もしこれが長い長い夢で、僕の脳が創り出した幻想だったとしても、ここから抜け出せないならこれがリアルだ。

そう、現実なんて、その程度のものなのだ。

そして、現実である以上、より良い結末に向かうためにあがくのが人間だ。諦めることもできる。諦めたこともある。でも、今の僕は諦めたくなかった。

「考えよう。シギのメモ。向こうに残されたメモも、今思えば時間の余裕がある間に帰って来い、という警告が含まれていた。シギがこっそり世界を終わらせたいなら、必要のないメモだ」

もし、あと二十八時間ほど向こうで過ごしていれば、僕たちはそのまま滅びを迎えていたのだろう。

なら、シギはなぜあのメモを残したのか。あれがあったから、少なくとも那由は一度帰ろうと思ったわけだし、その結果として僕もここに連れてこられている。

すべてに、シギの意思が働いているはずだ。

「これ、なんだろうな」

さっきのメモの最後に残された、アルファベットの意味。

それは『未来か、破壊』という、ただのメッセージなのか？

これだけでは、そういう意味にしか取れない。

「『あなたはあなたの道を』か……那由、なにか心当たりはないか？」

「うーん……シギはよくわからない子だった。こんなに話をするようになったのも、最後の七日が迫ってからだし、何より、私が『中』のことを知ってからだよ」

「そう、なのか……ふーむ……」

考えている時間も惜しい。僕は必死でここまでの那由やシギとの会話を思い出していた。そこに何かヒントがあるはず。

「この世界は滅びかけている。理由は那由も知らない、シギは知ってる節があったが教えてくれなかった。『中の世界』に関する情報にはアクセスできないものもある……」

そうか、もしかして。

「那由、プロテクトがかかってる情報ってのは、パスワードかなんかで入れるのか？」

「え？ あ、うん、パスワード認証が出てたよ。あ、それって……」

那由も気づいたようだ。

シギが残したあの言葉、それかもしれない。

「試せるか？」

「うん。試せる。禁書庫に行けば」

「よし、行こう」

また走る。もう時間がどんどんなくなっていく感じがする。

毎日、明日は当たり前に来ると思っていた。

そんな中で、狭い世界に絶望して終わらそうと思っていた。

でも、今は違う。終わってほしくない。まやかしでもいいから、続いてほしい。

我ながら勝手なもんだと思う。でも、人生の中のいろんなことなんて、ちょっとした視点の変更や考え方の修正でいくらでも希望に置き換わるんだ。

明日が来てほしい。

僕と那由はその想いで今、走っている。

「ここだよ！」

そこは、那由たちの部屋のある棟から少し離れた区画にあった。見るからに人がいなくて、寂れた雰囲気。大きな扉一枚を隔てたその中へ、恐る恐る入ってみる。

「雰囲気あるな……」

そこは薄暗く、壁一面に本が陳列されていて、イギリスかどこかの古い図書館のような、厳かで重厚な雰囲気がある。

そうだ、写真で見て行ってみたいと思ったことがある、オックスフォードの図書館みたいだ。

「この奥にあるんだ。全蔵書を見るための端末。ここに全部の歴史が入ってるって、シギが前に言ってた」

「全歴史、かよ」

それは途方もないデータ量だろう。果たして、そこから有益な情報を得られるんだろうか。

「えっと……どうしよう。ショウ君にも圧縮学習効くのかな……」

「なんか、怖そうだなそれ」

「大丈夫だよ。情報を圧縮して脳に直接刻み込むだけだから。すぐに覚えられるし忘れないよ」

「パンクしそうだな……大丈夫なのか？」

「わかんない。でも、もうやるしかないよ」

「……そうだな」

躊躇している時間も惜しい。もしこれであまりの情報量で脳がおかしくなるなら、それも運命だろう。そもそも、僕の世界では、すべて僕の幻覚妄想ってことになりそうだから、そういう意味ではもう僕は充分おかしくなってるんだ。

「ちょっと待ってね。モジュール探してくる。多分、あと一つあったと思う」

長く放置されたであろう禁書庫は、多少荒れてはいるものの、まだ書庫としての秩序が保たれていた。

　手の届かないような上の方にある本には、一体何が書いてあるんだろう。興味を引かれる。

　那由が探しに行っている間に、手近な本を手に取ってみた。

　それは、何らかの写真集のような一冊だった。繰り返し誰かの手に取られていたと思われ、整然と並んでいる本棚と、この棚は少し雰囲気が違っていた。おそらく、那由もこの辺りでいろんな情報を得ていたのだろう。

　それは、この膨大な書庫の中ではほんの一角でしかない。歴史の中の意図を感じるような一角だ。これは、誰かの手に取られることを期待して、でも、多くを望まず、その時間の流れに任せて置かれたものではないだろうか。

　そんな気がしてならなかった。

「あったよ！」

　それは、頭にかぶるヘッドセットのようなものだった。中にはいくつもの電極のようなものが見える。

「ほんとに大丈夫かよ……」

「私は大丈夫だよ。『中』の世界のこと、これでかなり知ったんだ。言葉とか、簡単な習慣とか。でも、さすがにすべては網羅できなかったから、限定的なことしか知れなくて、スイーツのこととかおいしいって情報しかなかったんだよね。それに、海や空の青さも、この情報と実際に見たものだと、全然違う」

本物は、もっとすごかったよ。と、那由はそれを見たことが誇りであるかのような顔で言った。

那由は端末を起動させた。

この文明がどこまで行ったのかはわからないが、僕たちの住む世界をあそこまで構築した文明の割に、今ここにある端末はローテクといってもいいのかもしれない。僕たちが使っているものとそう大差なかった。

とはいえ、ローテクならではの『残る』ものもあるのかもしれない。そういう意味では、紙の本というのはかなりのローテクでありながら、デジタルより長持ちする、と僕らの世界でもいわれている。

本に埋もれた禁書庫という空間は、それを実証した世界なのかもしれない。

「ここから、なんだ」

パスワードを要請される画面まで来た。

那由は、一文字ずつ慎重に、シギのメモにあった言葉を打ち込んでいく。

「入った……入っちゃったよ……」

「やっぱり、これか」

　那由に促されて、僕もヘッドギアをかぶる。那由が端末を操作していくと、脳の中が妙な感覚になってくる。無理やりこじ開けられて、スペースを空けられているような、未知の感覚だ。

「あ、どうしよ……」

「どうした？」

「データアクセスが重いよ……量が膨大すぎるんだ……時間がないっていうのに……」

「どれくらいかかりそうだ？」

「全部、だと十五時間って出てる……」

　それはまずい。そんな余裕はもう僕たちにはない。情報すら引き出せないのか。

「厳選しよう。俺が知りたいのは、この文明の到達点と、『球《スフィア》』の製作技術なんだが、那由は何かあるか？」

「私は……シギがどうして滅びに固執するか知りたいけど……ショウ君のやつ優先でいいよ。探してみるね」

　限定的なデータ検索でどこまで迫れるかわからないし、その容量自体もどれくらいあるかわからない。それでも、僕はこれから『世界』を作りたいと思っている。この技術は知っておきたい。そして、それにはどの程度の文明が必要なのかも。

ひょっとすると僕の世代では無理かもしれない。それなら、次世代へ引き継ぐための何かヒントがあれば、と思う。

「データベースのヒストリーカテゴリ、最後の日付から遡って百年くらいならすぐ見れそうだよ」

「それでいこうか。最後の日付から今までどれくらい経ってるんだ？」

「わかんない」

「え？」

「私が生まれたときにはすでに暦は意味をなしてなかったから。皮肉だね。最後の七日間を意識し始めたとき、はじめて私には暦の概念が宿ったのかもしれない。それくらい、もうわからないんだ」

「そうか……」

那由の生い立ちも気になるのだが、おそらくそこまで探っている余裕はなさそうだ。

「データアクセスできたよ。いいかな、ショウ君」

「あ、ああ、いいぜ」

那由が何かのキーを押した。すると、ヘッドギアから脳の中へ直接何かが入り込んでくる感覚に襲われる。

「う、うあああ、なんだこれ」

「大丈夫、すぐ慣れるよ」

「慣れねえよ！」

脳の奥の方を何かでかき回されてる感じがする。無理やり粘り気のあるものをチューブか何かで押し込まれている感じがする。

そして、それはやがて、イメージとして脳内で視覚化されていく。

「なんだ、これ」

「うわ……」

そうか、那由も知らない世界なんだな、この歴史は。

イメージは鮮明とは言えなかったが、最後の日付から、ということは、この世界の文明の最後の百年の記録なんだろう。

早回しで情報が送られていく。だが、断片的なあらすじを把握することができた。

「何も、起こらなかった……？」

「そう、みたいだね」

環境破壊、核戦争、隕石の衝突、突飛なところでは異星人の侵略、なんてのも、僕らの世界では世界滅亡の原因としてあげられる。よくある話だ。

でも、今見せられているヴィジョンは、そのどれでもなさそうだった。

人類は発展に疲れてしまったのか、この百年の映像には、画期的な新たな発明も、冒険も、飛躍的な文明の発達もなかった。ただただ、人々は生きて暮らして、そして、徐々に子孫を増やすことをやめたのだった。

「寿命、だったのか?」

「寿命?」

那由がオウム返しに聞いてきた。

「まだ仮説でしかないけど、種には寿命がある、って言われてるんだよ。どこかで退廃して衰退して、次の世代を担う種にバトンを渡す、ってな。もしそうなら

那由たちが、その次世代として選ばれたのかもしれない」

「那由は、生殖によって生まれた人類じゃない、ってことか?」

この世界の人類は、滅びを察知した。そうして、のちの世界を次に委ねた。

AIがこの世界を支配し、技術は継承され、那由たちのような『管理者』が生まれた、というところまで来たようだ。

「そうだよ。私たちは、『中』の世界を継続させるためだけに生み出されたんだ。だから、感情も意思も疑問もなく、ただただ決められたことを毎日こなす。まるで、じゃなくて、ほんとに機械だね。『中』に何があるかも知らずにね」

自嘲的にほほ笑む那由を見て、僕は突然、理解した。

それは、僕だ。

僕の人生は、僕の意志や疑問を持つことを許されず、ただ、親が敷いたレールの上を歩かされていた。抗いもしたけど、結局、親の力は強かった。

知ってと知らずはあったとして、那由のその姿は、僕と被《かぶ》った。

いや、それ以上に、今の社会はどうだ。

世界中の国によって状況は違うだろう。でも、日本の状況は酷似していないか。

知らずにそこに従事していた那由とは違い、僕たちには意思も感情もありながら、強制的に毎日の社会的ルーチンをこなし、充分な報酬もなく、自然、未来への希望も薄くなる。

やがて、見えない希望に疲れると、それは絶望にすり替わっていく。

それこそ、滅びの始まりじゃないのか。

だから……AIか何か知らないけど、那由たちを生み出した存在は考えたのかもしれない。初めから知らなければ、絶望も希望も生まれないだろう、と。

恐ろしい。

もしかすると、これは人類が長い時間の果てに行きつく結末の、モデルケースなのではないか。

「でもね、『中』を知った時、私は変わったんだよ。だからね、私はたぶん、ショウ君と出会った時、生まれ変わったんだ」

そう誇らしげに語る那由が、神々しくさえ見えた。

そうか。

「禁忌は、希望だったんだ」

僕は理解する。

禁忌と呼ばれながら、封鎖も規制もされずに、『中』の世界を記した書物が閲覧できる。

ただ、那由たちの『設定』が、そこに向かうようにできていなかっただけだ。

そして、那由たちも学習はできた。それは、他への興味をもたらすための条件のひとつだったのかもしれない。

那由たちの存在はきっと『最後の希望を託す種としてのテストピース』だったんだ。

那由たちを作った何らかの存在は、『賭けた』のかもしれない。想いの継承に。

だから、禁忌を知るならそれもよし、そのあとどのような行動をとるかも含めて、那由たちに託されたんじゃないだろうか。

「うわ!」

突然、ドン、と地の底から突き上げるような強い揺れが襲った。

衝撃で、高所の本が結構な勢いで崩れてくる。震度でいうと六か七はありそうだったが、一瞬だったのでそれほどの恐怖はない。ただ、世界がミシリ、と揺すられたような妙な感覚だ。

「地震か？」

「ああ、アレ、だね」

「アレ？」

「脈動だよ。もうずっと昔から定期的に観測されていた揺れらしいけど、いつの間にかすごく大きくなってね。揺れるたびにどこか壊れていくんだ。滅びの元凶って言われてる」

「揺れの原因は？」

「わかんない。誰も突き止められないんだ。だから、対処もできない」

もう調べる人もいなくなったけどね、と那由は言う。

「きっと、この震動で世界が割れちゃうんじゃないかな。それを見る人は、たぶん誰もいないけど」

確かに、それを知ることができる存在はもうこの世界から消えるか、もしかすると僕たち二人がそれを見届けるのか。そうだとして、僕たちはそれを記して後の世代に伝える方法もなく、そもそも後の世代すらいないのだ。

これが、シギの言っていた『すべての連鎖を断つ』ことなのだろうか。

僕たちは歴史情報の海から出て、ヘッドギアを外す。ずっとつけていると、脳みそが外に飛び出しそうな感覚になったからだ。

「何分経った？」

「二十分。歴史、まだ見る？　少しずつなら短時間で遡れるよ」

「く……興味深いが、時間設定の修正方法も見つけなきゃいけない」

「あ、そうだったね。忘れてたよ」

「のんきなやつだな」

世界の滅びが秒刻みで迫ってくる。だが、不思議と僕たちに焦りはなかった。今ここに二人でいること。その不思議な絆《きずな》がそうさせていたのかもしれない。

「ちょっと探してみるね。機器の操作のマニュアルとかないかな」

「でも、那由は普段あれを使ってるんだろ？」

「うん。けれど、必要な操作以外は教えてもらってないんだ。だから、シギが何をやったかわからない。シギの方が、えっと、一日の長？　きっと禁忌の情報に詳しいんだろうし」

そうだ、シギは先に禁忌に触れている。

それは、希望に触れたのと同じはずなのに、彼女はむしろ絶望したかのようなふるまいをしている。

先に帰って、時間設定をいじくり、最悪、那由と僕は何も気づかないまま七日間を終えて世界は無に帰すところだった。

じゃあ、そこまでした上で、那由になぜメモやパスワードを残した？

「あった！」

那由の叫びで、僕は思考から脱却した。

この情報に有益なものがなければ、さらに時間を消費することになる。

「ショウ君も見る？」

「いや、俺見てもわからんだろうし、ひとりの方が検索も早いだろ。那由に任せる」

「わかった」

那由は再びヘッドギアをかぶって、情報の海へと入っていった。

その間、僕はもう一度周囲を見渡す。

書棚や部屋全体の作りは、ヨーロッパのゴチック建築に似ているような気がする。建築様式に詳しいわけじゃないけど、よくそういった種類の物語や写真集を見る。

那由の部屋にあった機器類も、使い方はわからないけれど、インターフェイスはどこか知っているようなデザインだったりするし、ここまで移動してきた建物も、何か特別に僕の世界と異様に異なるような仕様はなかった。

その様子をじかに見て、いろいろな想像の扉が開く。

この世界の人類が、理想を詰め込んだうえでコピーしたのが、僕たちの世界なのでは、と。

そして、僕をはじめとした多くのエンジニアが、多分今、同じようなことをあちこちでやっている。

高度にフルダイブ化された桃源郷、それが僕たちのいる世界。

その仮説に違和感がなくなってきていた。

那由が熱中しているうちに、いくつかの本を手に取ってみる。

言語は様々だ。見たことのないような文字もあるが、僕も全世界の文字を知ってるわけじゃない。

ただ、明らかに日本語、英語もある。それは、僕の想像を裏付けるものだ。紙の書物の永続性というか、資料としての残存性能の高さに驚く。

「あと一日ちょっとで滅ぶのか」

那由には聞こえないくらいの声で、つぶやく。声に出すことで、確認する。

僕の世界の人たちは、そんなこととともつゆ知らず、今日も生きているのだろう。

それは、幸せな時間かもしれないし、苦難の時間かもしれない。

すべてひっくるめて、無慈悲に世界は終わる。終わりというのはそういうものなのかもしれない。

僕だって、自分で終わろうとしたたし、そうじゃないとしても、いつどの瞬間に事故や事件に巻き込まれて終わらないとも限らない。

そんなニュースも増えてきた。

今や、見知らぬ人に突然後ろから刺されるし、『誰でもよかった』と嘯《うそぶ》く相手に選ばれてしまう時代だ。昔からあるパターンとはいえ、増えている気がしてならない。

この世界の人たちも、それを通過してきたんだろうか。

「だいたい、わかったよ」

那由が戻ってきた。

「やっぱり最低設定が一秒で一日。ロックと解除の方法もあったけど……」

那由の表情が曇る。

「やっぱりパスワード設定されてるっぽいね。同じだといいけど」

「同じじゃないかな」

「え？　どうして？」

「なんとなく、さ」

もしここでそのパスワードが不明で終われば、設定も変えられない。

シギは、希望の後で絶望を示したことになる。

そんな悪趣味なことをするだろうか。

もちろん、滅びを受け入れているシギの考えだ。理解できない行動だってあるかもしれないし、事ここに至って希望も絶望も論じるに値しないかもしれないのだから。

「行こう。他にも後ろ髪引かれるデータはあるけど、時間がない」

「そう、だね」

僕の世界の寿命が延びれば、それを検討する時間はあるだろう。でも、それを持ち帰る方法がない。あるとしても、調べている時間もない。

今の最優先事項は、ぼくと那由が生きる世界の延命だ。

二人で大急ぎでログアウトした部屋に戻り、那由が設定を触り始める。

なんてことだ。もうこんなに消費している。ここから設定が完了するまで、さらに時間を食えば、どんどん僕たちの世界の残り時間が減っていく。

「あと、二十七時間……」

妙な気分だ。

僕は世界の終わりと、延命のチャンスに立ち会っているんだ。

そういう意味で、それに携わっている那由はまさに神様だし、僕は神様の運命操作を直《じか》に見ている。

やはりこれは夢か幻想か、と思い始める。

明晰夢、という夢があるという。夢と自覚しながら、その中で覚醒時と同じような思考と選択をし、リアルに体験する夢だと。

それじゃないのか、ということを思いつつ、それも含めて、人の脳と思考と世界と宇宙には、謎と不思議と不条理しかないんだろうな、と無理やり納得する。

もしかするとこの瞬間目覚めて『ああ、変な夢だったな』となるのかもしれない。

でもきっと、そこに那由はいない。それは嫌だった。

「パスワード、通ったよ……よかった……！」

「そうか……」

とりあえず安堵《あんど》する。

不安要素はシギの行方なのだが、ここまでして、どこかに潜んでまたやる、というのも考えにくい。

僕たちがこの世界を去った後、その残された時がどうなるかは、それこそ神のみぞ知るだ。

「一秒一日……中に戻るだけでも十日くらい過ぎちゃうけど」

「想像もつかんな。それでも『中』の寿命は……」

「二百六十年くらい、かな。大丈夫だよ、私たちが生きるには充分だし、それだけあれば……また、ショウ君が世界を創るよ」

「俺は二百六十年も生きられないぞ」

「そりゃそうかもだけど、思いを残すことはできるし、技術を継承させることはできるじゃない？　その礎を作るのはショウ君かも、だよ」

「そうか、そうだな」

この世界を見た。

世界が創れると知った。

それなら、僕は創るしかない。それに人生を捧《ささ》げてもいいと思えた。

「女神さまが、そばにいてくれるなら、それもできるかもしれない」

精一杯の表現で、那由の大切さを伝えたつもりだ。

「うん、そうだね」

それに応えてくれた那由の表情は、でも、なぜかどこか寂しげに見えた。

「さ、いこうか」

那由に促されて、戻ってきたときに寝ていた装置に身を横たえる。

「ショウ君を戻したら、あとから、私も行くから。それまで、少しの間だけ、さよならだね」

「え、おい！」

「バイバイ」

遠い表情をした那由の顔がすぐにぼやけていく。

那由の最後の表情がそれだったことに少し不安を覚えながら、僕は神様の世界を後にした。

第九章　世界は、那由と僕になる　――あと24時間／65日経過

「ここは……」

気が付くと、また知らない天井があった。

「那由……！」

慌てて飛び起きた。

那由はいない。まさか、さっき考えていた夢オチが現実なのか、と混乱する。

脳が現状に追いついていない。そんなはずはない、と思いながら周りを見渡す。

「病院……？」

どこかはわからないが、目に映るすべての風景がここが病室だと語っている。

今日は何日だ。あの日、海辺の展望台から那由の世界への移動に巻き込まれて、どれくらい経ったんだ。

スマホを探す。

「あった……あ、つかねえ」

枕元横の台に置いてあったが、すでに充電切れだった。

カレンダーも見当たらない。

まるで、ひとりだけここに取り残されたような絶望感に襲われる。

体は点滴につながれていて、妙にだるい。半身を起こしただけでふらついてしまう。

「なるほど。フルダイブで長時間元の身体を放置するとこうなるってことだな。開発の参考にしなきゃな」

多分そういうことなのだろう。

あの出来事が現実なら、僕は誰かに発見されて病院送りになり、意識不明のまま点滴で命をつないだ、ってことになる。これは、両親にも連絡が行ってるんだろうな。

窓から景色が見える。一階ではなさそうだ。何とか立ち上がって、窓辺から外を見る。

「四階、か。さすがに脱走できないな」

親が来る前にまた消えたいと思ったが、そうもいかなそうだな。

レンタカーはどうなったのか。僕の荷物はそのまま載せられているのか。一か月で借りてるので、それ以上の時間が経過してなければ、その可能性は高そうだが、あれから何日経ったんだ？

どうしよう、ナースコールを押して状況を聞くか？

病室の入口の方を見ながら逡巡していると、突然声がする。

「やっ、ショウ君」

「那由！」

もう突然の那由の登場には慣れた。でも、それ以上に、また現れてくれたことへの驚きと歓喜の方が強かった。

顔を見るとほっとする。那由はちゃんとこの世界にいる。

「あ、意識が戻ったんですね！」

突然病室の扉が開いて、驚いた様子の看護師さんが顔をのぞかせた。

「痛いところとか、具合の悪いところはありますか？」

「あ、いや、大丈夫です。腹が減ってるくらいで」

「元気そうですね。それなら病院の食堂もあるので、何か食べてきてもいいですよ。悪いところがあるわけじゃないので。あとで先生に回診してもらうように言っておきますね」

フリーダムな病院だな……そして、やはり那由は見えていない。

ここにいる那由に、看護師は一切反応しなかった。

「ねえ、屋上に行かない？」

「屋上に？」

「うん、海がね、見えるから」

那由は海にご執心だ。あの世界を見てしまった今なら、ぼくにもわかる。

この青い海と青い空は、彼女がどんなに切望しても手に入れられなかった景色なのだから。僕たちは、あまりに当たり前にそれを見すぎていた。

屋上に立つと、わりと近くに海のきらめきが見えた。

海の手前には街並みがある。海とともに暮らし、生きてきた人たちの息吹だ。

「いいね、街って」

那由はその景色が気に入ったようだった。そう、那由の世界には街もないのだ。

「いいね、人って。暮らしって。社会って」

那由にとって、この世界にあるものはすべて愛しく尊いのだろう。

もちろん、きれいなモノばかりじゃない。それでも、なのだろう。

「ありがとう、那由」

「ん？」

「俺は、君のおかげで、本当に大事なものに気づいた気がする」

「そうかな。私はただ、はしゃいでるだけだよ」

ふふ、とほほ笑むその笑顔が、太陽のように眩しく映る。

最初は、ただの天然か世間知らずだと思っていた。

でも、彼女は真の神様といっていい存在だった。

現にこの世界は、彼女の行った時間操作のおかげで延命した。それを知っているのも、僕と那由だけだ。まるで、ここが二人だけの世界になったかのように。

「この青い空、どこまでも飛んでいけそうでいいよね」

んーと、背伸びをしながら、那由が眩しそうに空を仰いだ。それにつられて僕も空を見上げる。

「ああ、どこまでも続いてるさ。那由の世界にすら、きっと」

「そうかな。飛んでみようか」

「飛べるならな。俺も空に憧れたときが……あ……った……」

目を疑った。

いや、あの日見たものを確信した。

それは翼だ。

那由の背中に、白くて大きくてしなやかな、翼が生えている……

見間違いじゃない。今、はっきりと、それが見えた。

ああ、彼女はやはり女神だった。

「飛ぼう、ショウ君」

彼女が差し出してきた手を、僕は反射的に取った。

「うわ」

その瞬間、まるで重力がなくなったかのように。僕自身の体重すら感じないまま、空へ舞い上がった。

それは、これまでの人生の中で最も素晴らしい瞬間だった。

あの日、空に飛んでいけたら、と思ったことが、今現実になったのだ。

地は足についていない。ただ、那由と手がつながっているだけ。どうやって僕自身の重さを重力のくびきから解き放って支えているんだろう。

「嘘だろ……」

「嘘じゃないよ。ほら、すごくいい景色。雲の向こうの水平線が、丸いね」

「すげえ……」

見通しのいい海なら確かに水平線の丸さを感じることがある。でも、今、目の前に広がる光景はレベルが違う。

「地球は丸い、か。実感するな。そして、これがあの『球《スフィア》』の中にあるのか？」

「そうだよ。電子の空間は無限だから。それは大きくも小さくも、無限にもなれるんだ。時間でさえも」

ほんの少し前の僕なら、耳にも届かない戯言《ざれごと》のような事実。だが……そう、これは事実だった。

今なら難なく理解できる。その構造や意味合いや真の事象は理解できなくても、そういう世界があるのだ、ということを。

「私はこの世界が大事。だって、私を私として自覚させてくれたのが、ここだから」

でも、と那由は続ける。

「でもね、このままだとショウ君と私は、一緒には暮らせない」

「な、なぜだよ！」

突然意外なことを言い始めた。もう、那由は僕とともにいるのが当たり前だと思った。彼女は、僕の想いに応えて『そうだね』と言ってくれたんじゃなかったのか。

「さっきの人の反応見たでしょ？　やっぱり私は見えてない。ここで実体を持ってないんだ」

「でも、こうやって俺とは触れ合えてるぜ」

「うん。でも……それでも、だよ。ショウ君はずっと、誰にも見えない私と生きられる？　私は、誰にも認知されなくて、ショウ君がずっと周りからおかしくなったたって思われて。そんなのやだよ」

「それは……でも、どうにもできないし」

そう。このままだと、那由は僕のそばにいても、それはずっと幻覚を見ているとされるだろうし、僕も、だんだん境界線がわからなくなってくる。

いまでさえ、もう現実と夢と幻想の境界がわからない。

ただ、目の前で起こっていることだけが、僕の真実になりつつある。

これは、この世界が見えない人から見れば、ただの狂人だろう。

「だからね、飛んでおきたかったんだ。私の本当の姿を見せたうえで、私はこの姿を捨てる方法を探したい」

これが本当の姿。

神だ。やはり神様だ。彼女の姿は、古《いにしえ》から僕たち人類がもっている神様のビジョンに近い。

そして、彼女の姿は、おそらく彼女以前に存在したあの世界の人類の姿なのだろうと思える。

「シギがくれたパスワードでね、いろいろ見れそうなの。急いでこっちに戻ったけど、興味深い項目がたくさんあった。それを調べて、私がこっちで実体を持つ方法を知りたいんだ」

「いやでも、時間がないだろ！」

「ないね。でも、この世界を後二百五十年残すくらいの時間はある。だから、ショウ君は大丈夫だよ」

「いや、大丈夫じゃないだろ！　那由がいない世界なんて！　その資料を調べて実行するまで、どれくらいの時間がかかるんだ！　那由の世界の時間は、延ばせないんだぞ！」

「うん。だから」

那由は笑った。

その笑みは慈愛に満ちていて、そして、どこか寂しげだった。

いやだ。

僕は瞬間的に感じた。

那由が何を言い出そうとしているのか、わかった。

「ここで、お別れだね」

ふわり、と屋上に再び降り立った。

「出来るだけ早く戻ってくるけど、間に合わなかったらごめんね。だから、お別れを言っておくの」

「いやだ、聞きたくない！」

「聞いて？　ねえ、ショウ君。私は、この世界を知るまで、まともな感情すらなかった。それを持てたのはこの世界と、そして、私を見つけてくれたショウ君のおかげなんだ」

涙で視界が曇る。言葉に詰まる僕を優しく抱きながら、那由は続ける。

「私は神様の最後の七日なんて言ってたけどね、これはね、ほんとはショウ君が私の神様で、その神様が私にくれた七日間だったんだよ。……そう、神様がくれた最後の七日間。きっと。私にはそう思える」

那由はそっと息をついた。

「ショウ君は私の神様で、私を人にしてくれた神様なんだよ。私やシギのことが見えるのも、きっとショウ君が、次の世界の神様だからだよ」

「俺が神様？　そんなはずはないだろ。それなら、那由だって神様だ。俺が生きてるのは君のおかげだし、生きる意味すら見つけたのもそうだ！」

「あはは……お互い様だね。でもね、ショウ君。私言ったよね。ショウ君がイレギュラーだって。ピーンときて見つけたって。それってね、きっと神様同士が引き合ったんだよ。ほら、私とシギも感じあえるから。だから、きっとこの世界にいる他の子たちも、ショウ君を見つけるかもね」

だから、ショウ君は神様なんだよ、と那由は繰り返した。

「でね、あと、一日ほど残ってるんだ、ショウ君がくれた七日間が。私は、ショウ君と残りの日々を生きたい。でも、そのための方法を実行する手段や時間が残ってるかわからない。シギのメモに早く気づけばよかったね。そしたら、もう少し余裕があったのに」

でもね、楽しかったよ、と那由は続ける。

「あの日々が、私にとって一番の日々だった。その時費やした同じ時間が、私の世界で過ぎていって、すべての残りが減ったとしても、だからこそ、あの日々は私とショウ君だけの、かけがえのない時間だったと思う」

「でも、でも、那由がそれをやっている間に、俺の時間はあっという間に過ぎ去ってしまうんだぞ……一時間でできたとして、俺の時間は十年たってしまう。数時間かかれば、もう会えないかもしれないんだ！」

「ごめんね。でも、このままキミの傍らで誰にも、ショウ君のパートナーとして知られることなくいるのは、生きてるって気がしないんだ。言ったじゃん、信仰する人がいなくなると神様は滅びるって。私が他から認知されないと、きっとショウ君のそばにもいられなくなると思うんだ。だから」

こんなにも暖かくて、こんなにも存在感に満ち溢れているのに、那由は誰にも知られることがない。それは、確かにこの世界での存在意義を問われる話かもしれない。

那由の言っていることはよくわかる。でも、その代償が大きすぎる。

「私を人間にしてほしいんだよ、ショウ君。もし、このまま会えなくなったとしても、私は、ショウ君とともにいたんだ、と認知されたい。……不思議な気持ちだね。よくわからないし説明もできないんだけど」

僕は、その気持ちを知っている。

僕の中にだって、那由に対するその気持ちがある。

だからこそ、離したくないし、那由の今の気持ちを認めたくないけど、認めざるを得ないんだ。

「それは、きっと愛だろ。俺も同じだよ那由。俺は君を愛している。だから、離れてほしくないし、いなくなってほしくない」

「愛、か。そんな一言で表せられるんだ。私には知らない言葉だよ。やっぱり、ショウ君は神様だね。私も離れたくないしそばにいたいんだ。だからこそ、やっておきたい」

「本当にできるのか？」

「できると思う。そういう項目が並んでいるページがあったんだ」

「どれくらいで？」

「わからない。すぐかもしれないし、時間が足りないかもしれない」

リスクが高い。高すぎる。

「それなら、もう一度、俺も一緒に行く。同じ時間を過ごして、そばで待たせてくれ」

「無理だよ」

きっぱりと那由は言った。

「あの時ショウ君が来れたのは、シギの仕掛け。でももうその仕掛けはこっちに戻るときに壊れちゃった。ショウ君がまたあそこに行く方法は、それこそまた探さないと出てこない。時間的にも無理だよ」

「そんな……」

「大丈夫。ショウ君はこの世界で生きて待ってて。どんなに時間がかかっても、必ず戻ってくるから」

時間と世界の壁が僕たちを隔てようとしている。

那由にとっての数時間が、僕にとっては一生になる可能性だってある。

那由にもわかっているはずだ。

そして、那由が無茶を言いながらも、自ら成し遂げたいことがあることも、ぼくにはわかる。

愛してしまったからこそ、それを否定できない。

それなら。

「ひとつ、約束してくれないか？」

「なにかな」

「向こうに戻ったら、時間をリアルタイムに戻してくれ。そして、那由の思うことが成ったら、帰ってきてくれないか。それなら、待つ時間は最大でも一日少しだ」

「ダメだよ！　それだと、世界の寿命をさらに削ってしまうんだよ！　私たちの都合でこの世界がなくなっちゃうかもしれない！」

「いまさらだよ、それくらい。もしそれで世界が終わるなら、俺は受け入れる。会えなくなったとしても、同じ時間を生きて、滅ぶことができるじゃないか」

あの世界を見てから、僕の死生観も変わってしまった。

僕のすべては那由であって、世界じゃない。那由を失って世界が存続することに、意味を感じられなかった。

「本当にいいの？」

「ああ。それだけ約束してくれ。いいか？　俺は二日は待たないし、待つこともできないぜ。最初に言ってたよな。最後の審判、なんだろ？　だったら、この世界は那由とともにあっていいし、俺はそれがいい」

現実的に設定を同期させれば、那由がいない二日目の朝は来ないんだ。

「……わかったよ。そしたら、残りの時間は一緒にいられるよね」

「……そうだな。待ってるから、早めに頼むぜ」

「ありがと、ショウ君。じゃ、またね」

「……ああ、また、な」

わかっている。この賭けが無意味なものだと。

それでも、僕たちは、またね、といった。


『また、か、いい言葉だね。次の機会がある。とても素敵』


那由のそんな言葉が、脳裏によみがえった。

消える瞬間、そっと那由が口づけした気がした。

触れるか触れないかのうちに、彼女はこの世界から去った。

「きれいに、消えるんだな」

那由が消える瞬間を、僕はこの時初めて見た。

消えてみて初めて、涙が頬を伝っていった。

エピローグ　そして僕らは神になる　――1年2か月経過

【翔】


あれから、一年が過ぎた。

世界はまだ続いている。

那由のいない二日目の朝を迎えて、僕は悟った。

那由はやはり、この世界の寿命を削らなかったのだろう。

今この瞬間も、那由はこの世界で生きるための方法を試しているかもしれない。まだ探している最中かもしれない。

その間に、どんどん僕の時間は過ぎていく。

それでも、思ったほどダメージはなかった。覚悟はしていたし、だからこそ、僕は前に進まなきゃいけないから。

今になってわかる。シギがなぜあのメモを残したのか、そして那由のことを『いつかそこに届くから』と言っていた理由が。

シギもきっと、那由に賭けたんだ。僕と同じように。

そして、その想いはまだ僕の中で続いている。この世界が存続している以上、向こうの世界では、那由がきっと奮闘している。

親とは相変わらず関係がいいとは言えないが、僕自身も自分の道を見つけたから、必要以上には関わらないようになった。

あの一連の出来事は、やはり幻想だったのだろうか、と思うこともある。


でも、確かなものも残っていた。

那由の奇跡が残した資金。これは、僕がこれから創ろうとしている世界のために役立ったし、研究に没頭するための重要な原資となった。

この辺りすら偶然だろう、と言われればそれまでだ。

でも、那由は奇跡を起こした。僕の中でこれは厳然とした真実だ。

そして、二度目の奇跡を、僕はずっと待っている。

那由はあれから、二度と僕の前には現れていない。

医学的には『幻覚を見なくなった』ということなのだろうが、那由は確かにいた。その記憶が褪せることはないし、僕が見てきたあの世界は、この世界の行きつく先であるかもしれない。

僕は、未来の人類が希望を継承できる場所を創るために、那由が残した奇跡を原資に、僕と十二人のプロジェクトチームを結成した。

不思議なほどスムーズに仲間が集まり、みんな若いけど優秀で、何より夢と希望と野望に燃えていた。

不思議なもので、同じ目的を掲げる連中の前では、僕は自然にふるまえた。みんな、社会では生きにくいけれど、僕のプロジェクトでは息がしやすい、と言ってくれる。

僕は彼らと生きていくのだろう。那由の幻影を背負いながら。

那由は言った。

『想いの継承はできると思うよ』と。

僕もそう思いながら、残された世界の終わりに向けて生きていく。

世界の終わりを見ることはないだろうが、それでもほぼ確実に二百五十年と少しの先に、この世界はなくなる。世代で言えば、ほんの三世代か四世代だ。あっという間だろう。

那由が言っていた『脈動』も気になって調べてみたら、本当にあった。

地球には原因がわからない謎の脈動があると。そして、それはごくわずかずつではあるが、日に日に増大しているらしい。

同じ道をたどっている、と思った。

最近地震も増えた。異常気象も多い。

那由の世界におけるさまざまな担当者が消えた、とシギが言っていた。きっとその影響なんだろう。

彼らはどこへ行ったのか。シギはどこへ行ったのか。

誰にも知られることなくこの世界に降りて、そのまま終わるのだろうか。

とりとめのない想いは日々付きまとう。そして、それらのインスピレーションは、世界の開発とそのモチベーションにも役立っていた。

今日も空を見上げる。

空は青く、透き通っている。そんな空に、那由がまた翼を広げて飛んでいるのではないか、という思いが広がっていく。

「幻想でも、幻覚でもいい。また、那由に会いたい」

＊

雑踏を歩きながら、今日の会議に向かっていた。

ほとんどをWEB会議で済ませるのだが、たまには会って話をしないと進まないこともある。まあ、体のいい宴会でもある。

今日は新しいメンバーが来ると言っていた。

天才的なプログラマで、十六歳の女の子だという。僕を除けば十三人目のメンバーということになる。

「見つけた！　ショウ君！」

「え？　あ！」

それは、突然やってきた。

雑踏の中で突然腕をつかまれた。

僕を捕まえる女の子。そんなのは一人しかいない。

「まさか那由⁉　え？　あれ？」

肌の色も髪の色も違う。どう見ても日本人、という普通の少女だ。

あの白に近い輝く銀髪も、透き通るような白い肌もない。背中に翼だってない。

でも、目が、うっすらと赤い。

「那由、なのか？」

「さあ？」

いたずらっぽい表情で僕を見上げてきた。

「今日の会議のホストの、ショウ君だよね？」

「え、君が⁉」

噂《うわさ》の十六歳天才プログラマ、なのか？

いや、でも、どうして、いや、それよりも。

「その、君は、一体……」

恐る恐る尋ねる。那由だという確証がもてない。でも、きっと那由だ。

「この世界の寿命、知りたい？」

きゅっと、捕まった腕に力を籠め、少女は小声で僕に言った。

その言葉を聞いた瞬間、僕は喜びが込み上げてくるのを抑えられなかった。

「いや、いいよ。知らなくていい」

自然と、笑みが漏れる。

僕の待った一年が、那由の使ったどれくらいの時間に相当するかなんて、もうどうでもいい。

「えぇー、つまんない。教えようと思って楽しみにしてたのに」

この子は那由だろう。那由に違いない。容姿は変わっているし、何をどうしてこの姿を得たのかわからないけど、僕を知っていて、世界の寿命を知っている。

「そうかい、じゃあ聞いてやるよ。あと、どれくらい僕らは一緒にいられるんだ？」

「うん、世界の終わりはね、あと――」

それを聞いて目を丸くする僕に、少女は言った。

「突然こんなこと言ってごめんね」

僕は首を振って、返した。

「いや、ありがとう、神様。大事にしないとな、神様がくれた日々を」

人はいつか死ぬ。世界はいつか滅びる。

宇宙すらなくなるし、僕らの宇宙は小さな『球《スフィア》』の中にあって。

なるほど、無意味な連鎖かもしれない。

こんなことを続けてどうなるんだ、とも思うし、今になってシギが成そうとしていたことの意味も少しながらわかってきた。

でも、僕は抗う。那由とともに。

もう一度、想いを継承していくために。

時間と空間は、どこまでもマイクロ化して、そして、無限に広げることができるんだ。きっと。

「天才プログラマさんは、どれくらいで革命を起こせるんだ」

「たっぷり勉強してきたから、基礎理論構築で三年くらいだね。でも、まただぎりぎりかな……ごめんね」

「いや、なんとかなるだろ。ところで、こっちでの名前、まだ聞いてなかったな」

「ふふ、名前はね——」

そして彼女は、僕に口づけをした。

今度こそ、本当に本物の、この世界の二人のキスだった。

世界は幾度目かの終わりを迎え、また、始まりを迎えるのかもしれない。

神様はどこにでもいる。

僕たちも、そして、世界中のみんなが、なにかの神様なのかもしれない。
僕たちは今日も何かを創り出す。
神様がくれた大切な日々を使って——

あとがき

お久しぶりです。遊歩新夢《ゆうほにいむ》です。昨年は『星になりたかった君と』の文庫化があったので、新作としては『三日後に死ぬ君へ』から二年ぶりとなります。

まずは、この本を手に取ってくださった皆様、ありがとうございます。

ここ数年、世の中はコロナ禍で、現在も五類になったとはいえ、感染自体の危険が去ったわけではありませんが、それでも、私たちは生きていかなくてはなりません。

世界は日々いろんなことが起こり、自分の力ではどうしようもないことの方が多いかもしれません。

そんな世の中に生きにくさを感じる人が増えている気がします。


あなたは神を信じますか?


こう書くと、怪しい宗教の勧誘のようですが、ここでいう『神』はもっと概念的なものです。

人が創り出した宗教上の神様ではなく、もっと究極の、超自然的な『なにか』のことを、私はいつも考えます。

　前作である『星になりたかった君と』や『三日後に死ぬ君へ』では、宇宙やそれにまつわる現象を題材としました。

　宇宙には、人が到底理解できないその『なにか』を感じるのです。

　宇宙を知れば知るほど、その世界は『なにか』によって創り出されたものではないのか、という気持ちが大きくなり、そして、それはついに知り得ることなく、人類の文明は終わると思っています。

　そんなものすごく壮大なお話を、三枝翔と那由、という二人の世界に落とし込んでみた物語が、今回の『神様がくれた最後の7日間』です。

　世界って何だろう。宇宙って何だろう。

　それは、究極的には『自分自身』であり、自分がなくなれば世界も宇宙もなくなる。

　一方で、自己視点を離れて遠くから見た世界や宇宙はなんだろう。

　それは、自然にできたものなのだろうか。

　宇宙は、基本的には数学で支配されています。すべての事象を数式で説明できるはずだ、とさえ言われます。研究者は『神の数式』と呼ばれるものを追い求めています。

　私は思いました。

「数式で説明できるのは、数式によって創られたからではないのか」、と。

宇宙も世界も、『なにか』の手によって作られ、その『なにか』は数式を知っている。

そう考えると自然じゃないかな、と思ったわけです。

AIが高度に発達しつつある現在、将来的には自我や感情を持つAIが生まれるのではないか、と言われています。その時、人間と人工物の線引きはできるでしょうか。

VRが進化し、昨今よく描かれるライトノベル等にある、『実際の世界となんら変わらない仮想空間』が実現し、そこに『人間と線引きが難しいAI』がいたら？

世界は『創れる』のかもしれない。

そんな考えは昔からずっとありましたが、現実が近づいてきた気がします。

なので、それをボーイ・ミーツ・ガールの青春像に落とし込んでみたくなった、というわけです。

この物語は、あなたにとって青春譚ですか？　SFですか？　信仰ですか？

私は、これを読んだ人がなにを感じたか、とても興味深いです。

ぜひ、あなたが感じたことを、語ってください。それはきっと、『次の世界』につながっていくと思うのです。

二〇二三年八月吉日　　遊歩新夢

本書は書き下ろしです。

本作品はフィクションです。実在の個人、団体とは一切関係ありません。（編集部）

実業之日本社文庫 ゆ33

神様《かみさま》がくれた最後《さいご》の7日間《なのかかん》

2023年10月15日　初版第1刷発行

著　者　遊歩新夢《ゆうほにいむ》

発行者　岩野裕一
発行所　株式会社実業之日本社
〒107-0062　東京都港区南青山6-6-22 emergence 2
電話［編集］03(6809)0473［販売］03(6809)0495
ホームページ　https://www.j-n.co.jp/
ＤＴＰ　ラッシュ
印刷所　大日本印刷株式会社
製本所　大日本印刷株式会社

フォーマットデザイン　鈴木正道（Suzuki Design）

ISBN978-4-408-55842-4（第二文芸）